“

세상이라는 수도원에서 드리는 일상이라는 기도

하고 싶은 말

하고 싶은 말

발행 2024년 01월 24일
저자 김재식
펴낸이 한건희
펴낸곳 주식회사 부크크
출판사등록 2014. 07. 15(제2014-16호)
주소 서울특별시 금천구 가산디지털1로 119 A동 305호
전화 1670-8316
E-mail info@bookk.co.kr
ISBN 979-11-410-6867-7

www.bookk.co.kr

“

세상이라는 수도원에서 드리는 일상이라는 기도

하고 싶은 말

김재식 지음

BOOKK

차례

'책의 시작에 드리는 글'

아주 어릴 때, 채 스물이 되기도 전에 나는 결혼하지 않고 독신 수도자로 살고 싶다는 결심을 서서히 키우고 있었다. 무슨 종교적 동기나 대단한 깨달음 같은 건 물론 없었다. 그저 세상이 너무 험하고 사람은 자꾸만 불신을 낳는 상처투성이라는 경험을 하면서 비관과 허무함이 내 이팔청춘을 점령했던 것 같다.

소심해진 내 마음은 점점 자신감이 없어져 하나의 탈출구를 만들고 싶었다. 가정이라는 좀 더 큰 집, 그 속의 배우자나 자녀들을 평생 책임지는 가장이란 너무도 두렵고 피하고 싶은 대상이었다. 그래서 얻은 결론이 결혼하지 않고도 이상한 눈초리나 닥달을 당하지 않을 수 있는 독신 수도자가 모델이 되었다.

그러나 아무도 자신의 운명을 모른다. 나는 사랑에 눈먼 콩깍지라는 살짝 달콤한 변명을 하며 아내를 만나 독신 수도자의 염원은 까마귀고기 먹은 사람처럼 잊고 어느 날 문득 돌아보니 아이가 셋이나 달린 어깨 무거운 가장이 되어 있었다. 하지만 그런대로 감당하고 있다는 사실도 스스로 대견했다.

'그럼 그렇지! 내 주제에 무슨 수도자야? 하하!' 그렇게 흔한 보통 인생의 길을 꾸역꾸역 걸어가던 중 운명은 나에게 또 다른 프로젝트를 시작했다.

아내는 갑자기 발병한 희귀난치병으로 머리만 빼고 온몸이 통나무처럼 바늘로 찔러도 감각이 없고 죽은 나뭇가지처럼 달려서 덜렁거리는 사지마비가 되었다. 질병 발생 딱 1년 만에… 그 후로 집 팔고 가족 생이별하고 병원을 떠돌며 13년을 보조 침대에서 쪼그려 자며 아내 병간호를 했다. 내 인생도 내 과거도 가진 모든 것도 날아갔고 미래는 없어졌다. 내 꿈도 시간도 공간도 내 것이 아닌 채…

심각한 우울증으로 5년 간격 3번째 치료를 하는 내 망가진 영혼과 정신과 몸은 만신창 되었고, 내 것 아닌 삶을 꾸준히 살아가는 하루하루가 딱 수도자의 상태와 너무 닮았다는 생각이 들었다.

내 욕심을 앞에 세우고 내 계획과 내 힘으로 살 수 없었고 나를 위한 충족과 기쁨 슬픔조차 허락되지 않는 상황이 되었다. 그렇게 하루하루 묻고 바라는 것들을 소원처럼 빌면서 쌓인 내용들이 백일기도처럼 100편이 되었다.

세상에서 자기 뜻대로 못살고, 그래도 죽지 않고 사는 사람이 어디 나쁜 일까? 세상이란 그렇게 하나의 수도원과 같다는 생각이 들었다. 온갖 종류의 고난과 불행을 딛고 사는 이들은 모두가 한 명 한 명의 수도자와 다름없고, 날마다 신음하듯 부탁하듯 토하는 '하고 싶은 말'들은 많아졌다.

그래도 세상은 성전이 아니니까 그런 말들은 기도도 아니라고 해야 할까? 어쩌면 그 하고 싶은 말이야말로 온몸으로 드리는 기도고, 응답을 기다리며 또 내일을 살아가는 것은 순종일지 모른다.

원치 않는 운명의 현실을 살아가고 있다는 느낌을 혹시 가진 분들에게 나는 나누고 싶다. 먼저 경험했다는 이유로. 부디 또 다른 동반자들에게 아주 작은 공감이라도 주어 위로가 되고 견디는 힘이 된다면 너무 좋겠다.

part 1

못 믿으면서 자꾸 묻는 기도할 때가 있다

1.이것은 미루지 않았다 / 2.말없이 조용히 걷고 싶다만 / 3.마음만… 하다가 슬피 울리라 / 4.혼자가 아닌 달팽이 / 5.이 짐은 누구 것인가? / 6.자유, 내 안의 램프요정이 아니다 / 7.미소는 슬픔을 지우는 무지개 / 8.만나면 좋은 친구? 행운이 아닌 동행자 / 9.다음 순례길로 합류해 걸어야겠다 / 10.넉넉하게 살 수 있는 복이 오히려 문제일까? / 11.세상의 끝은 하나님의 시작 / 12.바람의 이름은 변한다. 고난처럼 / 13.쓰레기도 다듬어지면 보석이 될까? / 14.그날이 그날인 복도 있다 / 15.여기가 좋사오니 초막 셋... 안된다구요? / 16.나를 외롭게 하는 것 / 17.내 탓일까요? 니 탓일까요? / 18.때로는 무기력함이 선물이다 / 19.남자들의 동굴, 왜 필요할까? / 20.앉으나 서나 당신 생각, 피할 길 없네 / 21.아무도 모르게 '당신을 못 믿겠어요!' 했는데 / 22.내 맘에 안 든다고 미워하다가 당한 일 / 23.아내의 고맙다는 말 / 24.단 한 사람이 없어서 / 25.생각은 화를 부르고 복도 부르고

‘하고 싶은 말 하나 - 이것만은 미루지 않았다’

조금만 더 자고

조금만 더 있다가

조금만…

아내는 벽에 못 하나 박아달라면 석 달 열흘 걸린다고 놀리며 내 별명을 ‘석 달 열흘’이라고 부른 적도 있다. 100일은 안 넘길게! 난 그렇게 대답하며 버티곤 했다.

하긴 어디 내 일상에 귀찮아! 나중에… 미루며 산 것이 아내의 부탁만일까? 공부도 미루다 졸업도 포기해버렸고, 돈도 나중에 벌자! 그러다 평생 통장에 돈 많이 담아본 적 없이 이젠 하고 싶어도 할 수 없는 나이가 되어버렸다.

버나드 쇼는 묘비명에 이렇게 써달라고 했다던가? '우물쭈물하다가 이렇게 될 줄 알았다'라고. 그 많은 명언과 명망가의 흔적을 남긴 버나드 쇼도 자신의 인생을 그렇게 평가했으니 나 같은 사람은 아주 망한 거나 다름없겠다.

이런 나도 한가지는 미루지 않은 것이 있다. 이른 아침 학교로 등교한다고 자전거를 끌고 나가는 아들에게 "잠깐! 스톱! 이리와봐" 하고 아이를 붙잡아 세우곤 했다.

"속 상하고 기분이 안 좋은 건 이해하지만 우리 집 규칙 알지? 화난 상태로 헤어지기 있기? 없기?"

그리곤 아이를 꼭 안아주곤 했다. 때로는 엄마나 아빠에게 속상한 적도 있고 형제끼리 티격거리다 골이 나서 발로 애꿎은 자전거를 심하게 차며 끌고 가는 날도 있었다. 난 그런 날이면 아이를 불러 세우고 몇 마디 이야기를 나누었다. 그리고 안아서 등을 토닥거려 주었다. 짧은 시간에 완전히 기분이 좋아지기는 힘들지만 최소한 미운 마음 화가 난 채로 마구 달려서 가지 않을 정도로는 풀려서 갔다.

'우리 집 규칙'이란 다름 아닌 분을 품은 상태로 헤어지지 않기! 다. 평소 여러 번 왜 그래야 하는지 설명도 했고 최대한 부모인 우리도 본을 보이려 애쓰고 지켰다. 부부 다툼을 해도 출근이나 다른 일로 집을 나갈 때는 다시는 영원히 못 볼 수도 있는 사람이라는 마음으로 배웅했다. 혹시 덜 풀린 맘이 있어도 잘 다녀오고 나중에 보자는 인사를 했다.

오래전 어느 부모에게 들은 이야기다. 자녀를 심하게 혼내고 양쪽 모두 골이 난 채로 문을 쾅 닫고 헤어졌는데… 불행한 사고가 나서 다시는 영영 볼 수 없게 되었다. 마지막 서로 기억하는 얼굴은 화난 얼굴 화가 난 목소리가 되고 말았다. 영원히 사과도 할 수 없이 가슴에 바위처럼 무겁고 대못처럼 아픈 기억을 안고 살게 되었다고 후회했다.

우리는 그러지는 말아야겠다 싶어 아내와 나는 늘 문을 나설 때는 아무리 속상하고 맘에 들지 않는 일이 있어도 서로의 안녕을 비는 배웅과 인사는 하기로 다. 특히 운전하고 가는 상황에서 그건 아주 다른 차이가 있었다. 화가 난 채로 운전대를 잡는 것과 안전을 비는 가족의 배웅을 받고 나선 경우의 차이는 정말 다르다.

그걸 아이들에게도 늘 말했고 부모 자녀 사이나 형제 사이에서도 최소한 그건 지키자고 했다. 본을 보이니 늘 잘되지는 않지만 할수록 그 노력이 가져오는 평안과 빠른 갈등 해소는 큰 보너스였다. 미루지 말아야 하는 우리 집 규칙은 정말 꼭 지키고 싶은 유익한 일이 되었다.

신앙인이 되어 살다 보니 그것은 가족 사이에서만 지켜야 할 규칙은 아니라고 느껴졌다. 우리 삶의 본이 되신 분이 예수님이고 그 길을 따라 살아야 한다고 숱하게 마음먹고 고백하지만 날마다 일상 현장에 들어서면 늘 '내일부터 하지 뭐!' 아니면 '저 사람은 빼고' 혹은 '조금만 있다가' 였다.

미루지 말고 바로 하지 않으면 영원히 기회가 없어지고 영원히 후회하며 땅을 치는 건 사람과 사람 사이만이 아님을 알아야 하는데 잘 안 된다. 뭐 그것도 내일부터 하지 그런다. 지금, 여기서부터! 손에 닿는 일부터 미루지 말고 하는 습관을 들이고 싶다. 마음이 필요한 것이든 몸이 필요한 것이든!

'하고 싶은 말 둘- 말없이 조용히 걷고 싶지만'

'빈 수레가 요란하다'는 말은 별로 많이 든 것도 없는 사람이 아는 체를 하거나, 큰소리친 것에 비하면 결과가 별로인 사람을 빗대어 하는 표현이다.

무협지나 중국영화를 보면 실력이 그저 그런 정도인 동네 짱이 거들먹거린다. 그러다 식당에서 조용히 밥 먹는 주인공에게 시비 걸고 된통 얻어터지는 장면을 흔하게 본다. 그 역시 빈 깡통이 요란한 경우다.

성경에도 비슷한 맥락의 이야기가 나온다. 회당이나 시장 사거리에서 자기의 잘난 형편과 신앙심을 과시하며 떠드는 기도를 하는 사람은 제쳐두고 기둥 뒤에서, 마루 끝자리 구석에서 가슴 치며 숨죽여 드리는 죄인의 기도를 하나님은 들어주신다.

또 자신의 자선이나 공적을 널리 알려서 사람들의 칭찬을 받고 높은 자리도 얻는 이를 향해 하나님은 '너희는 이미 받을 상을 세상에서 받았다. 나중에 천국에서는 국물도 없다. 왼손이 하는 일을 오른손도 모르게 선행하는 사람들이 복 있으니 천국에 상이 쌓인다!' 고 했다.

시끄럽게 떠들며 사는 사람보다 조용히 기도든 선행이든 하며 사는 사람들을 더 높이 평가하시는 하나님을 볼 수 있다. 지금보다 나이가 많이 적었던 시절에 나의 관심은 사람들 앞에서 시시비비를 아주 유창하게 구분하여 지적하며, 느리고 빨리빨리 행동하지 않는 대상들을 호되게 비판하는 소위 똑똑한 설교자나 리더들이었다.

그들과 달리 많이 배우지 못한 사람들이나 형편이 딸리는 사람들, 재능이 부족한 사람들은 민망하게 보기도 했다. 하지만 10년, 20년, 30년 긴 세월이 흐르는 동안 가까이서 지켜보며 조금씩 나의 관심 대상은 바뀌기 시작했다. 변함없이 부끄러워하면서도 최선을 다해 시도하는 그들의 무게가 과부의 두 렙돈 헌금같이 귀하게 보였기 때문이다.

내가 아는 한 수도원에서 어떤 수도자가 종일 밭에서 풀을 뽑으며 마음을 달랜 이야기를 들었다. 다른 수도자의 공격적 말에 상처받고 그걸 삭이느라 기도 시간이 되어도 참석할 수가 없었다고 한다. 그러면서 손목에 인대가 늘어날 정도로 종일 밭의 잡풀을 상대로 씨름하였다고 한다. 종신 서원을 하고 사는 수도자에게도 말은 공격의 창이 되기도 하고 찔리는 가시가 되기도 하는가 보다.

대부분의 수도원에서 종류는 다를 수 있지만 침묵의 시간을 가진다. 기간을 정해서 하기도 하고 시간대를 정해서 하기도 한다. 그 이유는 사람을 상대로 말을 많이 하면서 생길 부작용을 알기 때문이다. 그 침묵의 시간을 통해 안 해도 될 말은 당연히 걸러내기 위해서다.

몇십 년을 수도원 안에서 마당만 쓸고 사람들 앞에 나서서 이런저런 말을 늘어놓지 않은 수도자가 빗자루 성인으로 정해진 이야기를 안다. 또 30년을 부엌에서 다른 수도자들의 식사만 준비해주던 이가 그곳 수도자들에게 많은 존경을 받는 이야기를 직접 방문해서 듣기도 했다.

그러나 그게 어디 쉬운 일인가? 수십 년을 존재감도 없이 묵묵히 작은 일도 꾸준히 실행하며 살아간다는 것이. 이야기로는 간단하고 쉽지만, 막상 자기 자신이 당사자가 되어 숱한 날을 남의 무심한 시선 속에 흔들리지 않고 일상을 지속한다는 건 정말 어렵다. 자기 스스로 낮은 존재감에 괴롭거나 잘나가는 사람에 대한 질투로 편치 않을 수도 있고 이게 진짜 맞는 길일까? 회의가 들 수도 있기 때문이다.

작은 자로 작은 일에도 평안을 유지하며 누군가에게 유익이 되면서 죽는 날까지 그렇게 살다 갈 수 있다면 이미 성인과 다를 것 없는 경지에 올랐다고 본다. 정말 그런 성품을 구해본다. 그게 타고난 성품이든 후천적으로 수련하고 다듬어 이루어지든 그런 평안을 얻을 수만 있다면…

세상에서 얼마나 많은 갈등과 다툼, 시기와 미움, 전쟁이 서로 더 잘난 것을 증명하고 인정받으려다 생기는 것인지 생각해본다면 천국이 달리 있을까 싶다. 떠들지 않고 조용히 길을 가면서도 평안과 기쁨을 내 속에서 품고 살 수 있기를 자꾸 빌게 된다. 그 진짜 선물이 쉽게 오지 않는 걸 알면 알수록 더욱 그렇다.

'하고 싶은 말 셋 - 마음만… 하다가 슬피 울리라'

'아빠! 나 용돈 좀…'

'얼마나 필요해?'

'나 사랑하는 만큼? 헤헤'

난 절대 여우과가 아니다. 경상도 남자, 그것도 오래된 연식이니. 아이 엄마도 여우는 아니다. 삵괭이에 가까울망정 여우는 좀… 그런데 어디서 이런 여우가 나왔을까? 결국 처음 예정했던 돈보다 조금 더 나가고 말았다. 그놈의 사랑하는 마음 크기 때문에.

어떤 사람의 마음이 어디에 있는지를 보려면 돈 가는 곳을 보라는 말이 있다. 마음 가는 곳에 돈도 간다는 상식을 모두가 인정하기도 한다.

비슷한 맥락으로 성경에서는 재물 있는 곳에 마음도 있다고 그랬다. 세상에 마음 있는 사람은 세상에 재물을 쌓고 하늘나라에 마음 있는 사람은 천국에 재물을 쌓는다면서.

그런데 이상하게도 돈만 가고 마음은 안가는 경우도 있다. 부자 청년은 예수 앞에 와서 자기는 율법의 제사나 예물도 빠짐없이 드렸고 자선도 베풀었다며 영생, 곧 하늘나라를 갈 수 있는지 물었다. 거듭날 수 있는지 물은 부자도 있었다.

예수는 그들에게 말했다.

[마가복음 10:21 - 예수께서 그를 보시고 사랑하사 이르시되 네게 아직도 한 가지 부족한 것이 있으니 가서 네게 있는 것을 다 팔아 가난한 자들에게 주라 그리하면 하늘에서 보화가 네게 있으리라 그리고 와서 나를 따르라 하시니]

전 재산을 다 가난한 자들에게 주라고 하니 근심하며 돌아갔다고 한다. 부자 청년이 구한 것은, 적당한 구제와 율법 지키기를 하고 영생을 얻는 것이었다. 그런데 예수는 적당히 아니라 모두를 주라고 했고 그것보다 더 중요한 다음 말은 나를 따르라! 였다. 전 재산을 내어준다고 해도 영생이나 하늘나라를 못 간다는 말이다.

따르는 것은 마음이 가야 가능한 것이다. 이전에도 그렇게 살지 않았음을 지적한 것이고 나중에도 그게 중요하다는 말이었다. 부자와 청년은 둘 다 돌아갔다. 그만큼 마음이 가는 게 재물보다 힘든 일이다. 그건 전 생애가 다 가야 하는 것이기 때문이다.

많은 신앙인이 그 분류에 들어가는 경우가 많다. 교회에서 요구하는 헌금 봉사 주일성수 등은 모두 잘 지켰으니 천국 티켓은 당연히 예약이 되었다 장담한다. 남들에게도 떳떳하다며 온갖 방식으로 과시한다.

그러나 일생의 방향과 목적이 예수의 마음과 같지 않다면 부자 청년과 무엇이 다를까? 전 재산을 다 주어도 생명을 포함해 마음으로 일생을 따르지 않으면 소용없다고 단정하는데…

그러면 마음을 다해 예수를 따르는지 무엇으로 짐작을 할 수 있을까? 남들은 모른다. 오직 본인과 하늘만 아실 거다. 그 부자 청년처럼 남들도 인정하고 자기도 인정하지만 나를 따르라! 말에는 난색을 하며 돌아선 순간처럼 무언가 자기 속에 다른 것이 있을 거다.

인생의 성공과 재미와 능력이 모두 자기에게서 나온다며 은근히 자부하는 사람은 일단 마음을 안 준 사람들이다. 또 실패와 고난과 상실의 불안이 몰려오면 세상 수단에서 해결책을 찾고, 그래도 안 되면 망했다고 생각하는 사람도 모두 마음이 하늘이 아니라 세상에 있는 분류에 속한다. 그가 겉으로는 교회와 남들에게 뭐라고 했던 간 말이다. 말이나 설교, 설사 행동까지 포함하더라도.

이런 사람들은 가진 모든 것, 시간과 마음을 다 내주고 죽음이 기다리는 걸 알면서도 그 길로 걸어 들어간 예수를 따르기는 불가능하다. 바울과 베드로처럼 최악의 경우 목숨을 내놓는 길도 가기가 쉽지 않다. 세상의 인맥과 수단에서 해결책과 피할 길을 찾아내는 기술이 능숙한 사람들이라 그 죽음의 직전까지도 그렇게 방법을 찾는다. 나는 죽어도 그런 종류가 아니라면 다행인 신자들이다!

그런데 또 다른 이상한 사람들도 있다. 마음만 가고 돈은 안가는 경우다. 재물만 가고 마음은 안가는 사람들과 겉은 달라 보이지만 속성은 어떤 점에서 비슷한 고약한 경우다. '마음만!'이나 혹은 '내 마음 알지?' 그렇게 말로 다 때우고 마음은 보낸다면서 돈은 한 푼도 안 가는 경우다. 정말 고약하다. 돈 안 드는 '기도할게!'라고 기도를 자기 현금 대신 사용한다. 어떤 점에서는 가장 처음 분류인 마음 가는 곳에 돈 가는 속물보다 오히려 더 위선적이고 교활한 죄인들이다. 치사한 악당이기도 하고…

만약에 이웃의 경조사에 마음만 보내고 몸은 그 집 밥상 앞에 앉으면 주인이 어찌할까? 아마도 밥공기에 밥은 한 톨도 안담고 마음만 담은 빈 공기를 대접할지 모른다. 오지랍 착한 사람이라면 불쌍해서 그래도 불구하고 밥이나 먹을 것을 내어놓을지 모른다. 하지만 정의롭고 공정한 주인이라면 본인이 깨닫고 고쳐 살라고 아무 것도 없는 빈 상을 줄 거다.

이 분류의 사람 이야기를 하면서 많이 찔린다. 늘 마음만 보내고 행동을 못 하고 산 나에게 자책하는 무거움이 따라온다. 마치 지하철에서 자리를 양보하기 싫어 노인이나 짐 든 사람, 임산부를 외면하며 눈 감은 채 몸은 편하고 마음은 괴로운 경우처럼…

흔들리는 사람도
손내미는 사람도
같이 가자는 사람에게도
마음만 보내고
마음만…
이제는 안 그러고
살고싶어요

그저 기도3-마음만 by 희망으로

'하고 싶은 말 넷 - 혼자가 아닌 달팽이'

아내가 연달아 우황청심환을 먹는다. 아내는 울다가 과호흡이 되면 비닐봉지를 입에 대고 숨을 쉬어야 한다. 호흡을 못 해 껵껵거리다 심장이 딱딱해진다. 간신히 달래고 약을 먹고 진정했다 싶었는데… 하루 지나 다음 날 티비를 보다가 어떤 연예인이 동료에게 성폭행을 당한 트라우마에 시달리는 상담프로그램을 보다가 또 울음이 터지고 말았다.

아내가 어린 시절 스무살이나 차이가 나는 큰오빠에게 얻어맞은 기억이 아직도 가슴속에 멍으로 남아 비슷한 사연을 보면 폭발한다. 다행히 그 큰오빠는 삶을 돌이켜 신학을 배우고 개척교회를 했다. 그러다 목사 안수식 전날 산책 중에 뒤에서 과속으로 온 차에 치어 교통사고로 돌아갔다.

그런데 이 불행은 또 다른 괴로움을 만들었다. 성인이 된 후 아내는 걸

으론 반기고 잘 대해주는 큰오빠를 대하면서도 늘 가슴속 어딘가 어두운 그늘과 공포의 기억이 남아 있었나 보다. 그 비극의 사고 이후 한쪽으로 뭔가 이제는 큰오빠를 안 봐도 되는구나 안도하고 있는 자신의 기분을 어느 날 확인하고는 몸서리가 쳐지더라고 했다. 사람이면 가질 태도가 아니고 더구나 가족이면 더더욱 가지면 안 되는 감정이라고… 그렇게 폭행의 트라우마는 사람을 오래 괴롭힌다.

수년간 우황청심환을 안 먹고도 잘 넘기던 아내가 다시 연달아 먹는 것을 보며 나는 좌절감을 느낀다. 아내가 여러 중한 증상에서 조금 나아지거나 기운을 차리면 하늘을 날 것같이 기쁘다. 그 변화가 마치 내가 간병을 잘해서 그런 것 같아 으쓱해지기도 한다.

그러나 아내가 이런 우울증과 폭풍 오열의 비참한 순간에 빠지면 난 또 다른 자괴감에 빠진다. 난 아무 능력도 도움도 안 되는 쓸모없는 가족이 되어버린 것 같이 슬퍼진다. 그 우울한 기분은 바닥이 안 보이는 캄캄한 구덩이로 계속 떨어지고 있는 두려운 느낌이다.

'희망 고문' …이 단어를 떠올릴 때마다 참 말도 안 되는 이 단어가 사람을 괴롭힌다. 희망이 어찌 고문이며, 고문이라면 그건 희망이 될 수 없는 모순인데 이렇게 하나의 단어가 되어 어떤 상태를 표현한다. 벗어나지도 못하고 손에 잡히지도 않는 상황으로 살아가는 모진 사람들이 이 희망 고문에 울고 시달리며 살아가고 있다.

천국이 계속되거나 혹은 지옥이 계속되어도 사람들은 적응하며 살아갈지 모른다. 그러나 가장 괴로운 상황은 천국과 지옥이 아침저녁으로 변하는 날들을 살아가는 것이다. 어떻게 견딜까? 아침에는 천국처럼 행복하고 기쁘다가 저녁이면 지옥같이 고통스럽고 무섭고 슬픔에 빠진다면… 그건 지옥 중에 최악의 지옥일지도 모른다. 지옥만 계속되는 것보다 더 괴로운 지옥…

중증환자의 가족으로 병원에서 사는 날들은 마치 천국과 지옥이 수시로 변덕스러운 시간을 보내는 것과 비슷하다. 희망 가질 만하다가 추락하는 좌절의 고문을 당하고, 다 포기하려고 할 때쯤 또 다른 작은 희망이 툭툭 치며 다가오기도 하니 참으로 고통스럽다. 희망 고문이 늘 그렇듯…

"와! 달팽이다! 잘한다~"

자는 사이 머리 쪽을 조금 올려놓은 병상 침대에서 몸이 10센티 정도 내려온 것을 다시 제자리로 끌어 올리느라 침대에서 온몸을 뒤틀며 듣지 않는 다리에 힘을 주는 아내를 보았다. 보통은 날마다 아침이면 내가 끌어 올려주는데 오늘은 아내 혼자 등을 씰룩이며 안간힘으로 몸을 위로 밀어올렸다. 자그만치 10센티 넘게!

보통사람은 10센티? 하며 웃어버릴 그 거리는 아내에게는 거의 마라톤을 뛰는 중노동과 같다. 밥을 먹기 위해 침대를 세워 올릴 때 몸이 제위치에 가야 등이 아프지 않다. 안 그러면 강제로 허리 어딘가가 꺾여진 채로 숨도 쉬기 불편해 아프다.

"와! 재 무지 빠르다~ 어쩌면 쌩쌩 가냐!

달팽이가 곁을 지나가는 거북이를 보고 말했데! ㅋㅋㅋ

오늘은 당신이 그 달팽이 같아!"

아침에 아내에게 칭찬 같은 칭찬 아닌 웃음 섞인 별명을 지어주며 하루를 시작했다. 일상이 잘 풀릴 때도, 잘 안 풀릴 때도 사실 내 탓도 아니고 덕분도 아님을 자주 잊어먹고 과하게 착각하거나 기운이 빠지곤 했다. 모두 하나님이 함께하셔서 하루가 간다는 걸 다시 기억한다.

'하고 싶은 말 다섯 - 이 짐은 누구 것인가?'

오랜 세월을 가난을 근심하며 살았다. 이별하면 그 슬픔을 어떻게 견디나 막막했고 죽음의 두려움은 수시로 잠을 못 자게 했다. 왜 그런 감정을 떨치지 못하고 힘겹게 살았을까 자주 궁금했다. 실제로 지나고 돌아보면 그 일들이 일어난 경우보다 일어나지 않은 경우가 더 많은 쓸데없는 걱정이었다.

혹시 닥칠 곤경에 대해서 근심과 불안으로 살아가는 내 모습은 마치 나를 낳아준 엄마의 사랑을 기억 못 하는 아이와 같다. 엄마의 사랑을 받은 기억이 없는 아이는 늘 외롭고 두렵고 춥다. 힘든 임신기간과 출산의 고통을 견딘 엄마는 사실 아이에게 아무 보상도 바라지 않고 모든 힘들었던 기억들도 잊고 단지 아이가 행복하기만 바라는데 말이다.

정말 자식을 사랑하는 부모는 자녀가 씩씩하게 현실의 온갖 풍파와 시련, 벽들을 감당하고 의젓하게 이겨내기를 바란다. 성숙하고 아름답게 어른으로 독립하고 마침내 자녀를 혼자 두고 세상을 먼저 떠나도 마음이 놓이기를 바란다. 진정한 의미의 사랑은 그렇게 자식이 자기 짐을 지고 잘 감당하기를 바라지 끝까지 떠먹이고 입히고 맹목적인 과보호를 하지 않는다.

그런데… 언제까지나 철들지 못하는 자식처럼 계속 고난은 피하고 훈련은 미루기만 했다. 부모가 안심해도 될 잘 자란 자녀가 되지 못했고, 마땅히 지고 갈 자기 짐을 외면했다. 나이가 들어도 여전히 부모의 마음을 무겁게 했다.

그 대가는 지금도 계속되는 불안이고 고통이다. 비록 원치 않는데 닥친 심한 아내의 희귀난치병 발병으로 인한 불행이 현실임을 감안해도 이제 적응할 때가 되었는데도 그렇다. 안타깝게도 아직도 부모의 사랑이 그립고 의심스럽고 웅크리며 불면의 밤을 맞이한다.

짐에는 두 가지가 있다. 하나는 전혀 유익이 없는 정말 무겁기만 한 괴로운 바위 같은 짐이다. 또 다른 짐은 훈련받는 사람들이 메고 뛰는 배낭 같은 짐이다. 그 짐은 더 강하고 많은 험한 상황을 극복할 수 있는 체력을 키워주는 유익한 짐이다. 비록 숨이 차고 땀을 흘리게 하지만 감당하여 잘 훈련하면 훨씬 안전하게 만들어준다.

그런데 짐을 분별하지 못하면 유익한 짐은 내던지고 피하기만 하고 쓸모없는 바위 짐은 낑낑 메고 간다. 그 바위 돌덩이는 내려놓으라는 부모의 권유를 못 들은 척하고 계속 지려고 한다. 그럼 내가 지겠다는 부모의 말도 안 듣는다. 이 바뀐 선택을 고집하며 사는 동안은 안쓰럽고 희망이 없는 고통만 계속될 거다. 내가 사랑하는 사람들에게 구분하는 지혜와 순종하는 복이 임하기를 빈다.

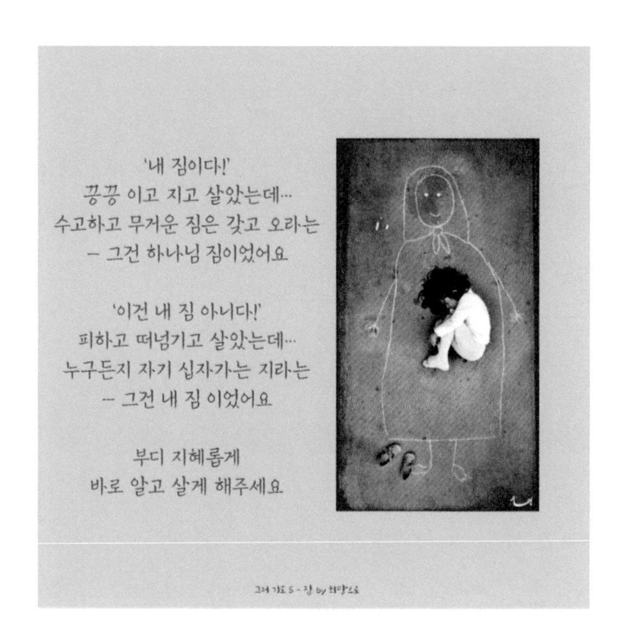

'하고 싶은 말 여섯 - 자유, 내 안의 램프 요정이 아니다'

누군가 옥상에서 던진 강아지가 하필이면 아래 길을 걸어가던 젊은 여자의 머리에 떨어졌다. 그 충격으로 여자는 목이 부러져 의식을 찾지 못하고 중환자실에 있는 뉴스를 보았다. 뉴스를 보면서 정말 끔찍하고 안타까웠다.

세상에는 이런 종류의 계획에도 없었고 예상도 못 한 불행을 당하는 경우가 의외로 많다. 우리는 이런 상황을 비극이라 하고 불행이라고 한다. 마땅히 당할 원인도 없는데 닥치는 불행, 이런 종류의 고난과 불행은 하나님께 넘기고 쉼을 얻는 것이 맞다. 물론 자기 책임으로 생기는 고난도 맡아주시고 쉼을 주시는 하나님이지만…

내 길과 하나님의 길을 구분하는 기준이 뭘까? 오래 생각했다. 수고하고 무거운 짐 진자를 불러 나에게 넘기고 쉬라는 말과 자기 십자가를 지고 나를 따라오라는 말의 다른 기준, 경우를 구분하는 것 또한 오랜 숙제였다.

이 두 가지 길의 다른 점은 누구를 중심으로 사는가에 달린 것 같다. 종종 내 모습에 부끄러워지는 경우는 내 길의 무게를 못 견뎌 무기력한 나를 원망하며 혼자 좌절할 때다. 내 고난의 무게만 벗기 위해 기도를 할 때다. 남의 고난과 불행의 무게를 좀 덜어주기 위해 기도하는 경우는 상대적으로 아주 드물었다는 사실을 깨달을 때도 그렇다. 그건 나와 하나님의 만남이 순수하지 못하고 변했고, 더 나가 하나님을 나의 램프 요정으로 사용하는 것과 다를 바 없기 때문이다.

잘 살펴보면 좌절에 빠져 아무것도 할 수 없다고 느끼고 무기력해지는 경우의 대부분이 내가 무엇을 시도하다가 막힐 때다. 내 능력의 한계와 예상을 빗나간 결과를 만날 때 그런 절망에 빠진다. 내 안에 하나님이 계시고 그 하나님이 무엇이든 앞서서 하신다고 믿으면 그런 좌절에 빠질까? 내 안의 하나님이 정말 무기력하고 무능력하다고 단정한 걸까?

그렇지 않다. 내 안의 하나님은 무엇이나 가능하지만 내 안에 하나님이 안 계시거나 혹은 그 하나님께 의논하거나 맡기지 않고 내 힘으로 시작했기 때문이다. 기껏 믿는 것은 내가 원하는 대로 행운을 가져오거나 보따리 채 나에게 주시겠지 하고 바랄 때다.

부디 하나님과 나의 만남이 서로 진정한 기쁨을 주고 자유를 가져오는 관계로 유지되기를 기도한다. 어쩌면 거의 나에게 달린 내 문제일 수도 있지만… 비난하지 않고 긍휼히 여겨주시는 자비하신 하나님의 도움을 구한다.

‘하고 싶은 말 일곱 - 미소는 슬픔을 지우는 무지개’

월요일 새벽이면 정동진 산속 기도원의 주차장에서 출발했다. 그래야 충주에 있는 직장의 출근 시간에 도착할 수 있었기 때문이다. 그렇게 주 5일 일을 마치고 금요일 퇴근 후 병든 아내가 있는 강원도 정동진의 산속 기도원에 돌아오면 늘 녹초가 되었다. 아이들에게 교대로 엄마를 돌보라고 부탁하고 생업에 필요한 돈을 벌기 위해 그렇게 장거리 출퇴근하며 일을 하던 시절이다

그 한 주간동안 아무 사고 없이 지내준 것만으로도 무지 고맙고 질병 증상이 나빠지지만 않으면 감지덕지다. 병 자체가 더 나아지기는 기대하기 힘든 상태라 더 그랬다. 운전하고 오는 동안은 긴장하느라 몰려오는 피로도 버텨야 했다. 그런데 도착하면 또 다른 고단함이 기다리고 있

어서 늘어질 수도 없었다.

아내가 사용한 각종 의료용품과 쌓인 기저귀를 처리하고 밀린 빨래도 해서 널어야 했다. 약도 사고 소변 배변을 위한 좋은 여러 건강용품과 먹거리도 사서 채워놓아야 했다. 그렇게 일주일 자리를 비운 뒷 처리와 다음 일주일을 또 비울 준비를 하느라 주말이 빠르게 지나가고 쉴 틈이 넉넉하지 않았다. 늘 잠이 부족했다.

달랑거리는 지갑에 한숨 쉬며 빠르게 닥치는 기도원의 밥값 숙박비를 마련하는 것도 고민 중의 하나였다. 그러니 몸은 천근만근 같은데 잠을 이룰 수가 없었다. 불면이 그냥 잠이 안 오는 정도가 아니라 눈 뜬 채 목이 졸리는 가위눌리는 경험을 하는 불면증이었다. 욱 치밀어오르는 서러움과 이유 모를 분노까지 더해지면 위험을 느끼기도 했다. 내가 스스로 무슨 짓을 할지….

엎치락뒤치락 오지 않는 잠과 씨름을 하다가 더는 참을 수 없으면 밤 몇 시인지 새벽인지 상관없이 기도원 성전으로 달려갔다. 슬리퍼를 끌고 들어서는 예배 성전은 싸늘한 한기와 캄캄한 어둠만 가득한 마루 운동장 같았다. 방석 두어 개를 가져와 하나는 깔고 하나는 무릎에 덮고 엎드려 기도했다. 사실은 쓰러져 퍼졌다는 말이 더 맞을 자세로.

'하나님! 제발 잠을 좀 자게 해주세요! 아니면 아픈 아내를 낫게 해주던지요! 그것도 아니면 필요한 돈을 좀 주시던지요! 더는 못 살겠어요.

나더러 뭘 하라는 건가요?'

대개는 할 말, 못할 말 실컷 쏟아놓으며 어떤 때는 울다가 잠들고, 어떤 때는 맘이 좀 달래져서 평안히 잠들고 했다. 그런데 신기했다. 아무 소리도 안 들리고 아무것도 보이지 않고 아무도 곁에 없는데 마치 온수라지에터를 털어놓은 듯 스르르 따뜻해지는 몸을 이해할 수 없었다. 그러면 피로가 몰려오면서 잠에 빠지고는 했다. 눈 뜨면 새벽 여명이 밝아지고 있었다. 여전히 곁에는 아무도 없고 차가운 적막함뿐이었다.

그때 그 어둠 속에서 서럽고 슬프면 부르는 이름은 늘 주님! 예수님! 이었다. 마치 빚 받으러 온 채권자가 채무자에게 따지듯 그랬다. 매달리고 하소연도 하고 미워서 원망도 하는 그 대상은 늘 예수님이고 많이 짜증 난 듯한 기분 나쁜 목소리 말투로 그랬다. 내가 예수님이었더라도 얼마나 들어주기 귀찮고 괴로웠을까?

이상한 경험은 기도하다 잠들기 직전마다 무슨 말을 들은 것 같은 애매한 기억이다. '내가 어디가냐? 늘 니 곁에 있는데… 니가 이렇게 서럽고 슬퍼서 울면 내 마음은 더 아프고 슬프다. 니는 모르지? 뭘 해주지 않으면서도 곁에 있어야 하는 이 괴로움을…'

그런데 그 말이 바깥이 아니라 내 속에서 들렸다. 누가 내 머리나 심장에 몰래 녹음기를 이식해놓았나? 의심이 갈 정도로 어떤 때는 더 생생하게 들리기도 했다. 내가 늘 곁에 같이 있다는 그 말이… 걸어가도 멀어지는 게 아니라 같은 크기로 들렸으니.

이후 아내의 병이 더 심해지는 바람에 119를 불러 상급 종합병원 응급실로 실려 갔다. 그렇게 들락거리다 도저히 안 되겠다 싶어 도심의 재활병원으로 옮기고는 또 다른 경험을 했다. 온갖 상황의 환자들과 보호자들이 모인 재활병원은 거의 반쯤 지옥 같은 곳이었다. 희망 가진 사람부터 절망에 찌든 사람까지 단계별로 모두가 있었다.

한 번은 아주 밉상으로 늘 험한 말과 시비를 달고 살던 아주머니 한 명이 복도 끝 의자에서 펑펑 울고 있었다. 많은 사람이 그 아주머니를 싫어하고 나도 싫어했다. 너무 사납고 억지를 부려 종종 다툼이 일어나고 그래서 다들 슬슬 피했다.

그런데 뭔 서러운 일이 있었는지 우는 소리가 멀리까지 다 들리도록 눈물 콧물을 흘리며 통곡하고 있었다. 쌤통이다! 할 뻔했는데… 너무 서럽게 우니 측은하기도 했다. 근데 그때 갑자기 그 옆에 누군가 서서 어깨를 토닥이는 환상이 보였다. 뭐지? 분명 사람은 아무도 없는데 왜 곁에 누가 서서 달래는 것처럼 보이지?

문득 기억난 말 하나에 작은 충격을 받았고 몸에 전율이 왔다. 예수님이 했던 말, '나는 우는 자와 함께 울고 기뻐하는 사람들과 함께 기뻐할 것!'이라고 한 그 말이었다.

그랬구나. 이전에 기도실에서 나의 곁을 지켰던 것처럼 오늘은 저 쌈닭 아주머니 곁에 계시는구나! 그래서 그때 내가 평안히 잠들수 있었던 것처럼 저 아주머니도 다시 회복하겠구나!

그다음부터 나는 그 아주머니를 대하는 마음이 좀 달라졌다. 갑자기 좋아지기까지는 힘들었지만 더는 미워하는 마음으로 얼굴을 찡그리며 보는 것만은 안 할 수 있었다. 많은 사람이 마치 약속한 듯 집단으로 미워하자며 얼굴 찌푸리는 무언의 비난에서 한 걸음 물러날 수 있었다.

그러자 그 아주머니의 다른 표정도 보이기 시작했다. 이전에는 안보겠다고 외면하느라 못본 웃는 모습도 보였다. 더 큰 변화는 내 얼굴에서 찡그린 표정이 줄어든 것이다. 그 아주머니가 저만치 오기만 해도 피하며 찡그린 얼굴이 되던 내가 달라지고 있었다.

세상의 재앙이 사라진다는 약속의 무지개는 지금도 뜨는 게 아닐까? 이 시대에는 그 무지개는 어쩌면 주님의 말씀과 위로로 달라지는 사람들의 얼굴이고 미소일지도 모른다. 하나님이 주시는 구원과 도움의 살아있는 표시로 사람들에게 미소로 나타나는지도 모를 일이다.

이전에는 슬픔 때문에 당신이 보였는데
이제는 당신 때문에 세상의 슬픔이 보입니다
그들 위로 무지개처럼 은총이 내리길 빕니다
고단할수록 감사할 일도 많기를…

'하고 싶은 말 여덟 - 만나면 좋은 친구? 행운이 아닌 동행자'

'만나면 좋은 친구 ㅇㅇㅇ ㅇㅇ방송' 그 로고송이 한동안 사람들의 흥얼거리는 노래가 되었었다. 은근히 중독성 있는 홍보 노래였다. 어쩌면 아주 뛰어난 가락이라서가 아니고 가사 내용 때문이 아니었을까 싶다. 만남, 좋은 친구, 그 단어가 가지는 느낌이 자꾸 흥얼거리게 한 것 같다. 내 생각에는…

만나면 기쁘고 뭔가 좋은 느낌이 들게 하는 친구가 있다면 분명 행운아가 맞다. 이 각박하고 날마다 경쟁으로 날선 사회를 살면서 그런 친구가 있다면 얼마나 좋을까? 살다 힘들고 슬픈 일을 당해도 만나면 위로받고 응원을 해줄 테니까.

결혼하고 얼마 안 된 시기였다. 직장에서 무한경쟁과 피를 말리는 실적 목표로 사람을 만나는 게 무서울 정도였던 시절이었다. 모두가 서로를 밟고 이겨야 겨우 자리를 지키고 실적을 채워야 문책과 비난을 피할 수 있는 시대였고 사회였다. 지금이라고 아주 다를 건 없지만 나이 들어 최전선에서 좀 멀어져 이제는 실감이 덜 난다.

그래서였을까? 좋은 친구도 그립고 따뜻한 환대를 주고받는 그런 만남, 그런 사람이 그립다. 다른 회사는 말할 것도 없고 같은 회사 동료끼리도 보이지 않는 경쟁과 긴장의 대상이 되곤 했으니까.

두 번째 아들을 낳았을 때 내게 그런 바람이 유난히 많았던 걸까? 그래서 아들 이름을 '기쁨'이라고 지었다. 부르는 사람이나 불리는 아들이나 서로 뭔가 기분 좋은 밝은 느낌을 받으면 좋겠다 싶었다. 중학생 때는 잠깐 여자 이름 같다고 놀림을 받기도 했지만 다행히 아들도 자기 이름을 좋아했다.

세상 누구도 자식 이름이나 상호를 '슬픔'이라고 짓는 이는 없을 거다. 그만큼 슬픔은 아무도 마주치고 싶지도 않고 피하고 싶은 이름이다. 단어만 들어도 어쩐지 웃음기가 사라지고 무거워지는 감정을 연상시킨다.

이렇게 단어만 듣고도 감정이 가라앉는데 실제로 슬픈 상황을 만나면 얼마나 힘들까? 어떤 사람들은 슬픈 분위기가 싫어 그런 종류의 무거운 줄거리 다큐멘터리 방송도 아예 외면하고 채널을 돌려버린다고 했다. 미담만 보고 듣고 초상집도 안 간다는… 그건 악하다기보다는 두려움을 못 이기는 약한 사람 축에 속할 거다. 별로 바람직하지 못한 대응이지만.

누구나 좋은 일만 만나고 그 속에서만 살고 싶지 않을까? 부득이 마주치고 피할 수 없으니 돕고 위로를 하는 것이지 좋아서 직면하는 것은 아닐 거다. 그런 점에서 예수님은 스스로 우는 자와 함께 울겠다고 하셨다. 외면하거나 피하지 않고, 오히려 기쁜 사람 웃는 사람보다 더 챙기셨다. 놀라운 행동이고 아름다운 동행이셨다.

살면서 기쁜 일만 생기고 좋은 친구만 만날 수는 없지만 그런 본을 보인 분과 함께 이 길을 간다면 기운이 날 것이다. 두려움과 가라앉는 좌절을 견디고 위로와 응원을 나누면서 남에게 좋은 친구로 동행할 수도 있겠다.

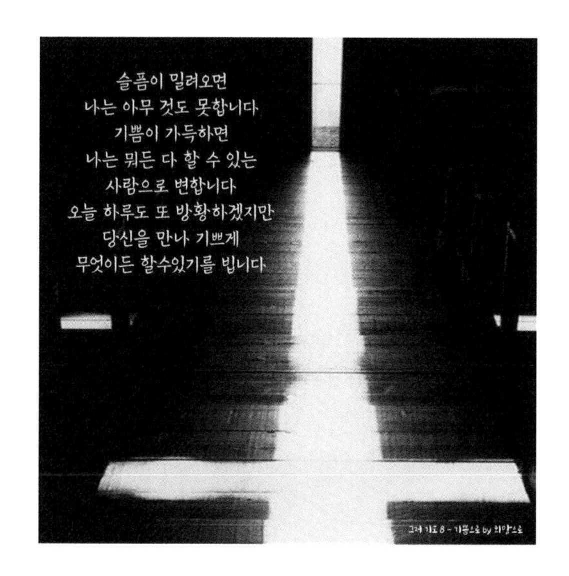

‘하고 싶은 말 아홉 - 다시 순례길로 합류해 걸어야겠다’

아픈 곳 없고 배고프지 않고 일상이 좀 덜 괴로우면 잊게 된다. 감사도 겸손도 사라지고 우리 영혼을 자유롭게 하신 큰 뜻도 까먹는다. ‘아, 하나님 없어도 다 가능하네? 내 힘으로도 잘 살 수 있겠다!’ 어깨 올리고 목에 힘 들어가고 무슨 결정이든 혼자 해버린다.

화장실 갈 때의 급한 심정과 볼일을 보고 난 후 돌아올 때의 심정은 많이 다르다. 그전에는 무슨 요구든 다 들어주고라도 화장실을 갈 수 있게 해달라고 협상할 테지만 속 편해지고 나면 느긋해져서 쉽게 요구사항을 들어주지 않게 된다. 그래서 생긴 말이 뒷간 갈 때와 올 때가 다르다! 이다. 우리가 늘 그런 습관적 본성으로 살아간다.

그러나 믿음의 생활은 그러다가는 필연코 고난에 휩쓸리고 예정된 구덩이에 빠진다. 그런 성품 그런 일상이 필히 가져올 비극이 법칙처럼 일어난다. 시기심, 채워지지 않는 욕망으로 인한 분노, 짜증, 무리한 시도 등은 누적되면 언제인가 터지게 되어 있다. 마치 공기가 든 풍선을 계속 누르면 어느 순간은 터지거나 반동으로 날아가는 게 물리적 법칙이듯 일상의 법칙도 비슷하다고 본다.

가장 몸에 가깝게 나타나는 증상은 허무와 권태다. 곁의 사람들에 대한 사소한 일로도 일어나는 공연한 미움과 짜증들이다. 나 중심의 일상은 처음은 편한 것 같고 이익이 큰 거 같지만 시간이 흐르면서 부작용이 점점 세게 돌아온다. 꼭 무슨 다툼이 있어서가 아니라도 내 안의 기쁨과 평안이 메말라 간다. 그런 감정은 결코 남과 경쟁에서 이기거나 내 손에 뭔가를 얻어야만 오는 것이 아니기 때문이다. 오히려 나눠주고 배려하고 양보할 때 더 크게 느끼는 감정들이다.

내가 그런 삶에서 좀 멀리까지 흘러가고 자신을 돌아보는 점검이 무감각해졌다 느껴지면 그때가 다시 돌아갈 때다. 더 방치하면 기어이 큰 사고가 터지고 불행의 회오리에 말리는 게 뻔하다. 광야를 헤맨 어리석은 이스라엘 백성처럼 꼭 겪고 당해야 정신 차리는 반복이지만…

다행인 것은 처음 기억을 아주 잊지는 않았다는 거다. 내 모든 일상의 과정과 결과를 하나님께 기대고 마음 비우고 편히 잠들던 복의 시간, 추억을 가지고 있다는 점이다. 그럴 때면 동시에 순례의 길에서 벗어나 살아가는 위험을 느낀다. 빨리 제 자리로 돌아와서 순례자의 마음으로 그 길을 걸어야겠다. 그런 회복의 마음이 밀려온다. 이것은 하늘이 주는 마지막 은총이다. 아주 버리지 않았다는 신호이고 자비다.

그래서 다시 추스른다. 옷깃을 여미고 신발 끈을 다시 조이고 본래의 길로 합류하려고 결심한다. 잠시 길을 벗어났던 미안함과 그 결과 조금은 지친 심신을 의식하며…

‘하고 싶은 말 열 - 넉넉하게 살 수 있는 복이 오히려 문제일까?’

살날이 많이 남은 사람들과 무탈한 사람들은 종종 앞날을 걱정한다. ‘어떻게 살지?’ ’뭘 하며 먹고 사나?‘ 그런 무거운 짐진 자처럼 근심스럽게.

그런데 나는 아내가 중증 환자로 아픈 바람에 십 년이 넘는 장기 병원생활을 하면서 또 다른 면을 보았다. 여러 종류의 크고 작은 병원도 있어 보았고 나중에는 재활요양병원도 꽤 머물러야 했다.

국립암센터에서 마주치는 환자는 모두 암에 걸린 사람들이었고 입원실을 몇번 들락거리며 같이 지내는 환자 중에는 말기 암 환자도 여럿 있었다. 그들 중에는 죽을 날을 대충 받아놓은 이들도 많았다.

거기만이 아니라 삼성 종합병원에서는 희귀난치병 환자도 여럿 통성명을 하거나 지켜보며 지내기도 했다. 재활병원은 젊은 교통사고환자들과 산재로 중장애를 입은 사람도 만났다.

그들은 얼마나 살 수 있을까를 자주 계산하고 의료진들에게 묻기도 했다. 나이와 상관없이 남은 날이 불투명하고 살날이 그리 길지 않은 사람들의 걱정은 종류가 달랐다.

꽃 피는 봄이 오면 내년에도 살아서 이 봄을 볼 수 있을까? 를 나즈막히 말했고 심한 경우는 내일도 살아 있을까? 장담을 못 하며 마음을 졸이며 비우기도 했다. 남은 가족이나 꼭 하고 싶은 일이 있는 사람은 조금만 더 살게해달라고 기도하고 소원을 빌었다.

죽을 걱정이 당장은 없는 사람들은 사는 걱정을 하고, 남은 살날이 많은 것이 오히려 짐이 되었고, 살날이 많지 않은 사람들은 죽음이 닥쳐올 것을 걱정하며 시간이 좀 더 주어지기만을 빌었다. 그들은 살날이 더 길어진다 해도 어떻게 살지, 잘살지 고생할지는 아예 고민 대상에도 넣지 않았다.

참 안타까운 아이러니다. 넉넉하게 살 사람들은 오늘이 어제 같고 내일도 오늘 같은 게 지겹다면서 하소연하는 데, 정작 오래 살 수 없는 사람들은 첫 번째 소원이 그 지겹다는 일상을 조금이라도 더 사는 것이라니…

오늘 사람들이 맞이하는 하루는 어제 죽은 이들이 그토록 울며 매달리며 빌었는데도 맞이하지 못한 생명의 날이다. 사랑하는 가족과 하루라도 더 지내기를 기도하고 자녀들을 두고 갈 수 없다며 이것저것 정리하는 어미의 찢어지는 슬픔에도 불구하고 주어지지 않은 그 지겨운 일상. 그들에게는 어떤 말도 위로가 되지 않는다.

국립암센터에서 입원하는 동안 만난 아내와 동갑내기 그녀는 폐암 말기였다. 가퇴원했다가 다시 입원한 그녀는 집에 가서 고등학생인 딸에게 살림을 인수인계하고 왔다고 했다. 찬장과 싱크대에서 그릇이랑 집기들을 대폭 버리고 꼭 필요한 것만 남긴 그녀는 어디에 뭐가 있는지, 딸에게 설명과 함께 살림을 넘겼다고… 그리고 그녀는 남편에게 자기가 떠난 후 최소한 2년은 지나서 재혼해달라고 부탁했다. 딸이 마음을 추스르고 적응하기까지 곁에 좀 있어 주기를 바란다며.

그렇게 걷지 못하는 사람들이 가지는 가장 큰 소원은 그냥 종일 여기저기 돌아다니며 잡일이라도 해보는 것이고 누워서만 지내야 하는 이들의 가장 큰 소원은 집안일이라도 하고 밥이라도 지어 가족에게 먹이는 것이었다.

왜 이렇게 소원의 대상이나 크기가 다를까? 절실한 사람일수록 단순하고 작은 것들이고 넉넉한 사람들일수록 터무니없을 정도로 크고 높은 소원을 기본으로 잡아놓고 거기 도달하지 못한 것을 불만하며 좌절한다. 그들이 가진 일상이 가능한 몸과 생명은 어떤 이에게는 주어지기만 하면 기적이라고 감동할 세상에서 말이다.

결국 잃기 전에는 이미 가진 것의 값을 몰라서 기뻐하며 살지 못하고,

잃은 후에는 이제 더는 없어서 감사하지 못하고 슬프게 산다. 그래서 자칫 세상이 온통 부족하고 걱정하는 사람들로 가득 채워진다. 이 안타깝고 어이없는 상황을 어떻게 하면 벗어날 수 있을까?

오늘 하루가 귀하고 소중하다는 절절한 감사는 꼭 누군가의 슬픈 현실을 볼 때만 실감한다. 그런 슬픔을 안 보고도 하루하루를 감사하게 느끼고 소중히 살 수 있으면 좋겠는데 잘 안된다. 안타깝고 속 상한다. 문득 멍해져 있는 나를 발견할 때마다.

‘하고 싶은 말 열하나 - 세상의 끝은 하나님의 시작’

직장을 잃고 새 직장은 구하지 못한 채 두어 달이 지나갈 총각 시절, 먹을 것도 지갑도 바닥난 채 속수무책이었다. 제대로 끼니를 먹지 못한 지 3일째인가? 이른 새벽 산에 올라갔다가 오후에 자취방으로 돌아왔는데… 제법 큰 종이봉투에 쌀이 담겨 방에 있었다.

머나먼 객지에서 고립무원 생계가 바닥난 상황이 마치 세상의 끝 어디쯤 도착한 심정이었다. 그냥 땅끝이 아니라 생존도 끝을 보는 것 같은 막막함. 그때 아무에게도 구차한 사정도 말하지 않고 도움 요청도 안 했는데 놓인 그 쌀 봉투는 마치 하나님의 메시지 같았다.

‘세상이 끝나는 곳에서 하나님은 시작한다!’라는.

그리고 그때로부터 30여 년 가까이 지난 어느 날, 아내는 거의 사형선고에 가까운 희귀난치병 진단을 받고 헤어날 길이 안 보여 그냥 죽음을 기다리던 중, 집으로 들이닥친 형제들의 지원금과 빨리 병원으로 가라는 나무람을 들으며 다시 이전에 들은 목소리 비슷한 메시지를 받았다.

'사람의 능력이 바닥날 때 하나님은 일하기 시작한다!'는 음성을.

무기력하고 좌절감에 주저앉아 손가락 하나도 움직일 힘이 없다고 완전한 패배를 인정할 때만 겪을 수 있는 신비한 경험이다.

일생 동안 그런 경험 한 번도 할 필요 없이 사는 게 어쩌면 더 큰 행운이고 모든 이들의 소원일지 모른다. 그게 뭐 좋은 거라고 일부러 경험해보나.

그런데 거기가 끝이 아니고 새로운 세상이 열리는 것을 체험하면 마치 죽었다 깨어난 심정이 된다. 다시 살게 된 두 번째 목숨 같고 부활한 생명을 덤으로 사는 감동이 들기도 한다. 워낙 못난 성품이라 오래는 못 가지만.

그런 경험을 한 번, 두 번 하고 나면 다음에 비슷한 순간이 와도 조금은 위로가 된다. 나의 힘은 끝나지만 하나님의 일이 시작될지도 모른다! 난 죽을 수도 있지만 하나님의 생명은 시작될지도 모른다! 그런 기대가 들기 때문이다. 막막해도 슬픔은 덜해진다. 이전 그 경험이 없을 때 비하면 그렇다.

그래서 절명의 고통이 눈앞에 닥치면 저절로 기도가 나온다. '하나님,

혹시 여기가 제 생의 마지막이 되더라도 내 영혼은 시작점이 되게 해주세요. 그리고 남은 가족들이 너무 슬프지 않고 세상의 끝에서. 새로 시작하는 하나님과 함께 일상을 계속 살게 해주세요!'라고.

모든 고난에는 하나님의 비밀이 있다는 사실을 잘 안 믿기지만 많은 어려움을 견디는 사람들이 알았으면 좋겠다. 그래야 덜 억울하고 덜 불쌍하지 않을까? 하나님이 안 계시면 세상에 가장 불쌍한 사람이 기독교인이라는 누군가의 말이 기억나서다.

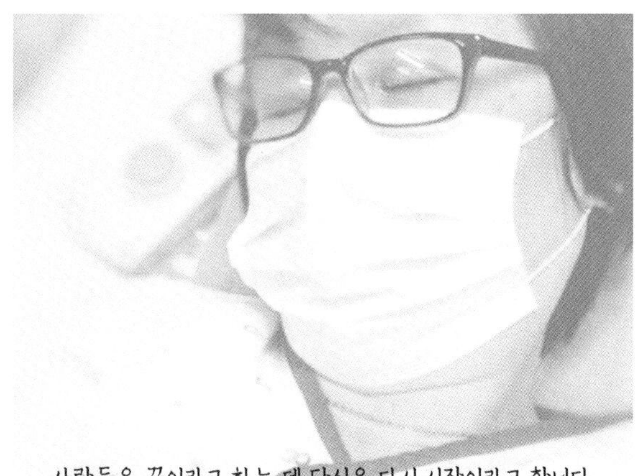

'하고 싶은 말 열둘 - 바람의 이름은 변한다. 고난처럼'

병원에서 환자인 아내를 돌보며 보조 침대에서 자는 날이 십여 년을 넘는 동안 온몸이 참 많은 고생을 했다. 60센티 폭의 낮고 좁은 자리에서 바닥에 떨어지지 않으려면 두 팔을 가슴에 올리고 밤새 움직이지 않고 잠이 들어야 한다. 그 긴장과 부동자세로 움직이지 않고 자는 동안 몸 여기저기 많은 근육과 뼈에 통증을 부른다. 그 바람에 근처 한의원의 단골이 되었다.

그러나 그 고단한 몸보다 더한 고단함을 안고 아침을 맞이하는 날이 종종 있다. 집사람이 밤이면 더 진하게 몰려오는 우울증에 잠 못들고 울어대서 끈 불을 다시 켜고 다독이다 늦게 간신히 잠이 드는 날이다.

아내는 슬픔이 한번 터지면 몇 시간을 통곡하다시피 울어서 비상이 걸린다. 행여 또 울다가 심장이 딱딱해지는 과호흡에 걸려 고생할 게 두려워 우황청심환도 먹여보고 신경안정제도 먹이고 온갖 방법을 다 동원한다.

그때마다 한 번씩 가슴 조이고 달래다 보면 나도 지친다. 당시는 제발 무사히 넘어가기만 바라다가 막상 잠잠해지면 화도 나고 서럽기도 하다. 이렇게 심한 상황이 점점 잦아지면 어떻게 견디나 무섭기도 하고. 한편 왜 내가 이런 불행의 쳇바퀴에 걸렸을까? 원망스러워진다. 이 굴레 같은 상황을 벗어날 무슨 뾰족한 길도 안 보이고 막막하다. 그러면 또 기운이 빠진다.

'이제 못하겠다 여기까지만 할까? 다들 잠든 새벽에 가방 하나 챙겨 그냥 도망을 갈까?' 별별 생각이 몰려온다. '그래도 어떻게 여기까지 왔는데…'하는 생각이 미치면 그것도 쉽지 않다. 십여 년이 넘도록 애써온 아이들과 주변 여러 사람의 정성이 와르르 모래로 쌓은 탑처럼 무너지는 게 슬프기도 하고.

그러다 문득 고난이 바람과 비슷하다는 생각이 들었다. 어디서 오는지 어디로 가는지 모르는 것도 그렇고, 언제 휙 올지 예상 못 하는 점도 그렇다. 그러나 그것보다 더 비슷한 것은 우리가 느끼고 단정하는 기준이 순전히 자기중심이라는 점이다.

바람에는 밀어주는 바람과 막아서는 바람이 구분이 따로 없다. 누군가

갈 방향을 정하는 순간 순풍과 역풍이라는 바람의 이름이 붙을 뿐이다. 그런 점에서 고난도 바람과 비슷하다. 그 고난이 유익한지 무익한지는 미리 정해진 것이 아니고 그 길을 걸은 사람에 의해 붙는 이름일 뿐이다.

예전에 아내가 생사가 오락가락하는 아주 중증 상태로 입원해 있을 때다. 같은 병실에 다리 한쪽을 수술한 아주머니가 같이 있었는데 하루에도 몇 번씩 투덜대며 한숨을 내뱉으며 '이런 병신으로 잘 걷지도 못할 바엔 살아 뭐해? 차라리 죽는 게 낫지!' 등 온갖 험한 말을 했다.

어떤 때는 그냥 한 대 쥐어 박아주고 싶은 충동을 꾹꾹 참아야 했다. 숨도 힘들게 쉬고 침대에 누운 채로 대소변을 보며 힘들어하는 사람도 입 다물고 최선을 다해 투병 중인데 그 곁에서 생의 의욕을 푹푹 꺾는 부정적인 말을 한다는 게 너무 밉고 싫었다.

그렇게 아픈 질병 상태 그 자체가 객관적으로 불행의 척도가 정해지는 것이 아님을 체감했다. 어떤 암 환자는 그 병을 이겨내며 평생 누구도 따라올 수 없을 만큼 건강한 식생활과 운동 습관으로 바뀌어 복이 된 경우도 듣고 보았으니까.

순풍이든지 심한 풍랑이든지 목적지가 일정하게 흔들리지 않으면 유익할 수도 있고, 목적지가 흔들리고 방황하는 배는 어떤 바람도 유익을 주지 못한다. 사는 동안 겪는 우리의 고난도 또한 비슷하다는 점을 알았다.

신앙인이 된 나는 자주 하나님의 자녀가 되었다고 고백했다. 그런데 고난을 대하는 태도와 약한 자를 사랑하며 돌보라는 하나님의 말씀을 너무도 잘 알면서 도망을 갈 수는 없잖나? 심지어 그 길은 좁고 험하지만 가기만 하면 외면하지 않겠다고 약속하시는 하나님이니.

그래서 기도한다. 이전에도 늘 나를 일으켜 주신 것처럼 이번에도 한 걸음만 더, 하루만 더… 견디게 해주시기를 빈다. 질병과 가난만이 아니라 모든 바람 앞에서 그렇게 살고, 이번만이 아니라 늘 그럴 수 있기를!

'하고 싶은 말 열셋 - 쓰레기도 다듬어지면 보석이 될까?'

나에게 아버지는 두 가지 기억을 깊게 남기셨다. 어릴 때 그 당시는 어쩌면 원망이고 분노였고 내가 아버지 나이가 되면서는 아픔이고 안쓰러움이 되었다.

그 한 가지는 약자인 엄마를 너무 오랜 세월 괴롭히고 감정을 푸는 대상으로 삼으셨다는 것이다. 그때 밤마다 긴 시간을 잠을 재우지 않고 고문에 가까운 말꼬리 잡기로 몰아세웠다. 금방이라도 주먹을 날릴 것 같은 고함은 이불을 뒤집어쓰고 잠든 척하는 나에게도 깊은 슬픔이었고 날카로운 추억이 되었다.

나는 자라서 결혼하지 않겠다고 결심한 여러 이유 중 하나는 그때 보고 겪은 아버지의 엄마 학대, 다툼도 대화도 아닌 그 시간이 영향을 미쳤다.

나중에 어쩌다 보니 이미 결혼해 있던 나를 깨닫고는 결심을 조금 바꾸었다. 나는 아버지와 같은 반복은 죽어도 안 하겠다는 스스로의 맹세로. 내 아이들에게 그런 엄마 아빠의 모습을 보이지 않겠다는 각오를 했고 실제로 많이 애썼다.

그러나 잘 안되었다. 나는 내 나름대로 철칙을 정하고 아내에게 욕 한마디, 가벼운 손찌검 한 번도 안 했지만 다른 부분에서 절반의 실패를 했다는 걸 나중에야 알았다. 적어도 아이들에게 폭력적인 공포 분위기 때문에 잠 못 들게 한 적은 거의 없었지만 아내가 심하게 아픈 희귀난치병에 걸리고 생사를 넘나들 때 아내는 울면서 말했다. '난 결혼 20년 생활이 그다지 행복하지 못했다'고.

처음에는 인정도 못 하고 이해가 안 갔지만 곰곰 돌아보며 조금씩 이해가 된 것은 내가 너무 아내를 내 기준으로 일방적으로 사랑했다는 결론이었다. '당신은 무조건 내가 시키는 대로 해! 내 말만 들으면 다 맞아!' 그런 감옥에 아내를 가두고 사랑이 아니라 사육을 했다. 그러는 사이 말로는 나를 못 이긴 아내는 속으로 병들어 가고 있었다.

아버지가 깊게 남긴 기억 또 하나는 너무 돈, 돈, 하며 돈을 벌어야 한다는 태도였다. 말마다 성공한 누군가의 사례를 들먹이고 무슨 일이든 돈이 되는지가 우선순위였다. 사람 관계도 인생의 목적도 사는 이유도

다 돈이 우선 기준이었다. 지겨웠다. 왜 사는지 종교나 철학적 사고는 뒷전이더라도 돈보다 행복을 추구하는 말 한마디쯤은 있어야 하는데 돈이면 전부였다.

나는 아이들에게 절대 그런 가치관을 날마다 늘어놓지 않겠다고 단단히 결심했고 지켰다. 돈이 전부가 아니고 행복하면 무엇이든 해도 된다고 말했다. 직장선택도 사람과의 만남도 돈이 되는지가 첫째는 아니라고 말했다. 나도 그렇게 살았고 아이들에게 일상으로 보여주었다. 돈 버는 게 지상목표라는 잔소리는 적어도 안 했으니 그 단어로 아이들이 지겹지는 않았을 것이다.

그러나 또 다른 점에서 난 아이들에게 오십 보, 백 보 비슷한 기억을 남겼다. 물론 어릴 때 나만큼 오랜 시간 깊게 새겨질 정도는 않았을 것이라고 믿지만.

막내 딸아이가 중학교 다니던 시절이었다. 멀리 일산에서 병원 생활을 하는 엄마 아빠와 주로 문자나 전화 통화로 대화하며 한 달에 딱 한 번 얼굴을 보며 이산가족으로 지내던 때였다.

'아빠! 나 이번 기말고사에서 또 1등 한 것 같아!'

막 시험을 끝내고 전화기로 들려오는 딸아이의 목소리는 들뜨고 자랑하는 마음이 고스란히 느껴졌다.

'와! 잘했네! 고생이 많았겠다 시험 준비하느라… 잘 쉬고 맛있는 거

사 먹어라! 특별용돈 보낼게!'

내가 이랬을까? 그랬어야 하는데…난 큰 실수를 했다. 어쩌면 실수가 아니라 아빠라면서도 치사한 나의 바닥 욕망이 드러난 건지도 모른다. 내가 아버지의 돈타령에 지겹다며 다음에 내가 부모 되면 절대 안 하겠다고 각오까지 한 그 미운 짓을 닮은 말을.

'국어 점수가 94점이네? 왜 틀렸어? 너 국어는 잘하잖아?'

'……'

전화기에서는 한동안 아무 말도 안 들리고 한참 지나더니 흑흑 흐느껴 우는 아이의 목소리가 들려왔다. 나중에 엄마와 이야기를 나눈 말에 의하면 국어시험이 좀 어렵게 나왔고. 그래서 많이 틀렸고, 자기가 제일 높은 점수를 받았는데 그것도 모르고 축하는 안 해주고 틀린 점수부터 먼저 따진 아빠가 미웠다고 했다.

그랬다. 잘못한 거 맞다. 한참 지나서도 딸아이는 그때 잘못한 내 행동에 여러 번 농담 반 진담 반 지적을 하며 원망했다. 웃으며 말로 동조하는 가족들의 비난도 들어야 했다. '아빠가 잘못한 거 맞네!' 이런…

난 지겨웠던 내 아버지의 '돈' 타령 자리에 '성적'을 바꿨을 뿐이었다. 알게 모르게 아이들을 경쟁시키고 행여 라이벌 친구에게 밀려 성적이 내려가면 다른 일에 연관시켰다. 가령 컴퓨터게임 시간이나 다른 취미

생활을 제한하는 등 압박을 했다. 나도 모르게 내 아버지의 돈 우선 가치관을 닮아가고 있었다.

내가 이런 시행착오 미움 받을 행동을 했다는 걸 알게 되면서 아버지를 이해하는 시선이 조금은 달라지기 시작했다. 내게도 모난 면, 날카로운 날과 가시가 있어서 사랑하는 이들에게 상처를 주고 있다는 사실도 알았다.

아버지에게 폭력을 당하며 큰 자녀들이 나중에 같은 폭력 부모가 되는 경우가 많고 모진 시어머니에게 시집살이를 당한 며느리가 그렇게 비슷해진다는 말을 들었다. 구타 받던 졸병이 상관이 되어 자기 부하를 또 구타하는 군대문화도 그중의 하나다. 모두 자기가 당할 때는 나는 나중에 안 그래야지 했다는 점도 아픈 공통점이고…

캘리포니아 어느 해변에는 보석처럼 빛나는 몽돌이 햇빛에 반사되어 눈 부신다. 세계적 명소가 되어 관광객들이 찾기도 한다는데 다른 곳에도 비슷한 해변이 여럿 있다고 들었다. 그 빛나는 형형색색 몽돌은 사실은 깨진 유리 쓰레기들이었다고 한다. 오랜 세월 세찬 파도에 깎이고 다듬어져 날카로운 모서리가 전부 매끈해진 결과 보석보다 아름다운 몽돌이 되었다.

우리가 가진 모자라거나 지나친 결점, 성품도 어쩌면 깨진 유리쓰레기와 비슷한 점도 있다. 우리를 빛나는 보석으로 만들어줄 파도는 무엇일까? 쉴 새 없이 몰려오는 고난도 피해도 그럴 수 있지만 우리 속에 유리 특성인 단단함 같은 게 없다면 그저 부서져 가루가 되어 사라질 뿐이다. 아니면 더 날카로운 쓰레기가 될 나쁜 반복의 재앙일 수도 있고.

하지만 우리 속에 예수의 성품과 사랑이 모델이 되어 파도 같은 고난에 깎여간다면 아마 가능해질 거다. 석양이 지는 해변에서 무지개보다 다양한 칼라로 반짝이는 보석으로 남는 일이!

'하고 싶은 말 열넷 - 그날이 그날인 복도 있다'

출근하고 퇴근하고,

또 출근하고 퇴근하고,

또 출근하고 퇴근하고…

그렇게 오늘이 어제 같고 내일도 오늘 같을 게 뻔한 직장생활이 지겨웠던 젊은 날이 있었다. 한 달을 채우고 월급을 받고 길면 열흘, 빠르면 이삼일 만에 주머니가 텅텅 비기도 했던 그 시절에는 왜 그리 시간은 안 가는지…

저축이라고 애쓰며 모아도 소용이 없었다. 두서너 달 쥐꼬리만큼 모이면 꼭 무슨 일이 생겨 그걸 탈탈 털어갔다. 좋은 일도 생기고 슬픈 일도 터졌다. 남들은 집도 사고 차도 사고 해외여행도 가는 이야기를 들으면서 내 미래를 예상해보면 캄캄했다. 몇백 년쯤 산다면 간신히 꿈이나 꾸어볼 너무 가난하고 너무 평범한 내 처지였다.

그 지겨운 생존의 시간은 마치 다람쥐가 쳇바퀴를 돌리는 무한반복 영상이라도 보는 느낌이었는데… 세월이 많이 흘러 나에게 이상한 일이 생겼다. 내가 부모가 되고 내 아이들이 그때의 젊은 내 나이쯤으로 객지에서 뿔뿔이 살아가는데, 그 아이들을 위해 늘 비는 내 말의 내용에 나도 모르게 깜짝 놀랐다.

'부디 내 아이들이 아무 일 없이 잘 지내게 해주세요! 대박 터지는 부자 못되어도 좋으니 생활하는데 곤란하지 않을 정도만이라도 유지하게 해주세요! 승승장구 초고속 승진 못 하고 이름 날리는 유명인이 못되어도 좋으니 그저 주위 사람들과 잘 어울리며 하루하루 보내게만 해주세요! 작은 몸살감기 정도야 아프더라도 부디 큰 병 걸리는 일 없이 지내도록 해주세요!'등

그러니까 내가 젊은 날에는 미래도 꿈꿀 수 없고 너무 평범한 재능에 평범한 날들만 보내야 했던 것이 온통 불평 이유였다. 좀 뛰어나지 못하고 좀 특별한 복을 받지 못하는 것이 마치 신에게 외면당한 사람 심정이었다. 그런데 내 아이들에게 그런 불평했던 평범한 날을 부디 달라는 기도를 하고 있었다. 그것도 마지못해서가 아니라 진심으로 사랑하는 마음에서 우러난 기도 제목으로.

단지 나이가 들었다는 이유 하나로 그 지겹던 보통의 날들이 가장 큰 소원의 날로 180도 바뀌는 걸까? 혹시 남들은 나이 들어도 안 변하는데 나만 별나게 소원이 바뀌는 걸까? 아니면 내가 별나게 험한 고통의 길을 지나왔기 때문에 나만 이런 일이 생기는 걸까? 여러 질문이 꼬리를 물고 생긴다.

내가 그렇게 평범한 복을 빌게 된 한 가지 짐작되는 이유는 있다. 희귀난치병이 든 아내를 데리고 십 년이 훨씬 넘는 세월을 이 병원 저 병원을 떠도는 생활에서 겪은 일이다. 내가 만난 그들이 하나같이 간절히 구하는 소원은 아프기 이전의 평범한 일상으로 돌아가는 것이었다. 그때는 분명 지겹다 희망도 없다 불평했을지 모를 그런 날이다.

눈물 글썽이며 표현하는 내용은 아침이면 일어나 일터로 가고 저녁이면 집으로 돌아와 사랑하는 가족들과 함께 식사하고 잠드는 것. 그 어제 같은 날이 오늘도 내일도 계속되는 소원이었다. 나중에 돌아보니 불행하게도 그 소원의 날로 완전히 돌아가지 못한 이들이 더 많았다. 마음이 아팠다.

그런 사람들을 많이 보고 겪으면서 일상을 사는 평범한 보통의 날이 얼마나 큰 축복인지 뼈저리게 느꼈다. 우리 아이들이 미리 알았으면 정말 좋겠다. 자기 몸 스스로 움직여 일하고 틈나면 나들이하고 사랑하는 이들 사이에서 하루하루 살아가는 그 소중한 복이 얼마나 큰 복인지를.

그리고 그 복을 상실하지 않고 오래 살았으면 좋겠다.

내가 이런 기도를 하고 있다고 말하면 아마 우리 아이들은 픽! 웃으며 그게 무슨 소원이고 복이냐고 할지 모른다. 좀 더 뛰어나고 남다른 멋진 소원을 빌어주기를 바랄지도 모른다. 어떤 사람이 그날이 그날이고 오늘이 어제 같은 날이 계속되기를 소원으로 하느냐고 핀잔을 줄지도. 그래도 나에게 가장 진지하고 간절한 첫 번째 소원은 어쩔 수 없이 내 아이들에게 아무 일 없는 보통의 날이 계속되는 것이다. 어쩌랴, 사람은 경험의 울타리에서 벗어나기 쉽지 않으니…

나의 형편, 수준, 건강이
평범하고 흔해서
그래서 안달하며 살았지요.

남들하고 똑같다고
하루가 거기서 거기라고 투덜거렸지요
그게 얼마나 큰 축복인지도 모르고

하나님 고맙습니다.
평범하고 흔하며,
남들하고 똑같은 하루를 넘치게
오래 주셨음을!

그저 기도 14 - 평범한 복 by 희망으로

'하고 싶은 말 열다섯 - '여기가 좋사오니 초막 셋… 안 된다고요?'

'늘 오늘만 같았으면…'

정말 기분이 좋았다. 흐르는 땀을 사악~ 씻는 솔솔바람과 커다란 나무가 만들어준 그늘에 앉아서 멀리 대청호수와 숲을 바라보았다. 그 짧은 쉼과 자연 속에 머무르는 평안함이 꿈과 같고 행운처럼 아찔했다. '이대로 며칠만 있었으면 너무 좋겠다' 혼자 속으로 생각했다.

지겨운 병원 생활에 지쳐가던 중 고마운 아내의 친구가 하루 간병을 자청해주셨다. 몇 년 만인지 기억도 감감할 때 주어진 선물 같은 하루 휴가가 믿기지 않았다. 유료 간병인을 구하고 한 달에 두 번씩 쉬는 옆 침대의 간병인이 너무도 부럽기도 했던 참이라 더 그랬다. 아내는 모르는 남이 자기를 돌보는 것이 혼자 지내기 보다 불편한 사람이라 그게 불가능한 일이었다. 근데 맘 편한 친구와 지내니 문제가 없어진 거다.

주어진 9시간 정도의 휴가로 고른 일정은 차로 한 시간 정도 거리의 대전에 있는 계족산 산행이었다. 오가는 시간, 밥 먹는 시간 산행 서너 시간을 빠듯하게 움직이면 약속한 귀가 시간 오후 5시를 맞출 수 있었다. 아침 9시에 나와 오후 5시 귀가하는 몇 년만의 하루 자유라니! 그분이 서울서 내려오고 올라갈 일정에 맞추어야 해서 거기까지였다.

'많은 사람은 마음만 먹으면 한 달에 한 번씩도 가능한 이 나들이가 내게는 10년에 한 번이나 기껏 두 번이라니…' 안 하면 더 좋을 사실 비교는 나를 슬프게도 만들고 째깍! 째깍! 가고 있는 사간마저 아까워 몸을 달게 했다. '왜 나는 그걸 평범한 기쁨도 누리면 안 되는 벌을 받아야 하는 걸까?' 거기까지 미치자 속상하고 서러웠다.

'저 여기서 살고 싶어요!' 속으로 막 소리치고 나니… 그 장면이 떠올랐다. 예수님과 변화산에 오른 제자가 감동을 받아 '여기 초막 셋을 짓고 여기 살아요! 예수님!' 했던 그 장면. 얼마나 기쁘고 간절했을까? [마태복음 17:2, 그들 앞에서 변형되사 그 얼굴이 해 같이 빛나며 옷이 빛과 같이 희어졌더라]

모세와 예수님이 환하게 빛으로 변해 주고받는 장면은 얼마나 당당하고 경이로울까? 누구라도 그 감동의 자리에서 그렇게 살고 싶지 않을까? 그런데 저 아래 세상에 내려가면 온갖 험한 생존경쟁과 마음 다른 사람들과 부대낌, 그 생활이 지겹고 두렵기도 했을 테니.

그러나 제자들을 데리고 산 위로 올라가 영광스러운 모습을 보여주신 예수님은 다시 그들을 데리고 산 아래 삶의 현장으로 내려오셨다. 예수님은 단호했고 그 감동 그 소원은 거기서 끝이었다. '내려가자!' 예수님은 그렇게 딱 잘라서 다시 시정의 세상으로 가는 결심은 하늘에서 들려온 말이 대신했다.

"너희는 그의 말을 들으라" 이 하나님의 음성은 예수께서 가시는 그 수난의 길이 하나님의 길이라는 걸, 그리고 아무리 힘들어도 반드시 그 길을 가야만 한다는 것이었다. 그리고 예수님은 제자들을 데리고 산에서 내려오셨다. '여기가 좋사오니…'라는 제자의 소원은 물거품이었고 이루어지지 않을 일이었다.

내 감정과 내 소원이 그 상황과 겹쳐서 떠올랐다. 다시 지겨운 병원으로 돌아가 아내 하나를 붙들고 돌보며 종일을 보내고 해를 보내는 생활을 한다는 생각만으로도 끔찍해지고 싫은 느낌이 몰려왔다. 안 갈수만 있다면… 멀리 아무도 모르는 인도 같은 곳에 도망치고 싶은 충동에 빠졌다. 정말 자유롭게, 맘도 몸도 좀 편하게 살 수 있다면… 간절한 내 소원이 무슨 큰 범죄도 아닌데… 싶었다.

예수님은 말로 자세히 설명은 안 했지만 분명한 이유를 담고 있었다.

아무리 성실하게 살아도 고난은 누구에게나 불행이라는 이름으로 시도 때도 없이 찾아온다. 생명을 가진 모든 존재가 피할 수 없는 운명이며 본질이다. 죽음이 생명의 일부이듯 고난도 삶의 한 부분이다. 마치 두 개의 수레바퀴가 수레를 유지하고 앞으로 갈 수 있게 하는 원리와 다를 바 없다. 그래서 누구나 그것을 감내하면서 살아갈 수밖에 없다. 십자가의 무거움이 부활의 한 기둥인 것과 같은 원리다.

이해인 수녀는 이런 시를 통해 그 진리를 표현했다. "삶은 / 갈수록 무거운데 / 나는 갈수록 / 가벼운 것만 좋아하니 어쩌나? // 옷도 가벼운 게 좋고 / 책도 가벼운 게 좋고 / 이야기도 가벼운 게 좋고 / 때로는 무거워야 할 기도조차도 / 가벼운 게 좋으니 어떡하지?" - '가벼운 게 좋아서' 중에서.

안전과 평온함, 기쁨과 감동 속에서 살고 싶은 인간 본능의 욕구와 살아 있는 생명이기에 필연적으로 감당해야만 하는 두려움 등을 동시에 지고 가는 삶. 그 두 개의 기둥이 우리의 숙명이고 한편으로는 그 두 개의 바퀴가 있어야만 앞으로 나갈 수 있다. 좌절의 순간이 없으면 희망은 존재하지 않거나 인식할 수 없게 된다. 부족함과 무력한 순간이야말로 하나님과 영원한 세상을 바라고 믿게 되는 필수적 토대다.

사람들이 던져주는 먹거리를 편하게 받아먹기만 하다가 나는 법을 잊고 먹이를 구하는 본능이 사라져 죽어간 영국 해안 관광지의 갈매기 떼,

혹은 길고양이들의 죽음이 그렇다. 그 공포스러운 마지막을 떠올리며 산에서 내려올 결심을 했다. 다시 내려가자. 수고와 눈물과 고단함이 나를 기다리지만 또 다른 입장의 아내는 나의 귀가가 희망이고 안전이며 감사가 될지도 모르니…

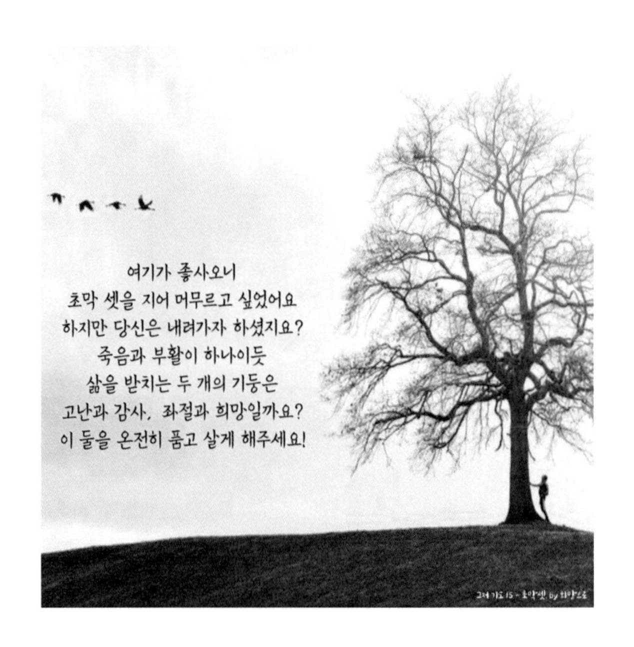

'하고 싶은 말 열여섯 - 나를 외롭게 하는 것'

'아…' 길게 나지막한 신음을 내보내면서 보았던 영화가 있다. 모짜르트 아마데우스! 그 영화를 보며 모짜르트가 아닌 살리에리만 계속 신경이 쓰이고 불편해지는 감정을 떨치지 못하여 괴롭게 시달렸다.

모짜르트는 워낙 신동이고 천재적 음악 재능을 타고났다. 자유분방하며 자기 하고 싶은 대로 사는 모습에 아예 다른 차원의 사람을 보는 느낌이라 부럽지도 않았고 별다른 감정이입도 생기지 않았다.

하지만 살리에리는 조금 다르게 다가왔다. 살리에리는 모짜르트의 놀라운 음악 재능에 감탄하며 팬이 되기도 하고 가슴이 뛰기도 했다. 다른 사람들이 모짜르트를 추앙하는 그 칭찬과 박수를 자기도 비슷하게 받을 수만 있다면 평생의 자랑이 될 것 같았다.

그러나 그 모든 마음의 질주가 벽을 만났다. 심혈을 기울여 작곡한 곡이 그리 큰 관심을 받지 못한 점도 있지만 치명적으로는 모짜르트에게 그리 좋은 평가를 받지 못한 것이다. 그뿐 아니라 모짜르트가 즉석에서 자기 곡을 변주곡으로 연주해버렸다. 살리에리가 오래 다듬고 만든 곡을 모차르트는 단번에 그 자리에서.

남들에게 모짜르트가 받는 시선 비슷한 인정을 받고 싶었던 살리에리는 충격과 좌절에 빠졌다. 이루어지지 않은 선의의 짝사랑은 그 크기나 깊이만큼 반대로 가시가 돋고 흑암 비바람으로 변하여 영혼을 뒤흔들며 살리에리를 비참하게 만들었다.

널리 알려지고 싶고 인정받고 싶었던 욕망이 좌절되면서 어쩌면 살리에리가 모짜르트를 살인이라도 했을지 모른다는 의심을 받았다. 직접 살인이 아니라도 최소한 죽음에 몰아넣을 정도로 시기와 질투 혼란에 빠진 것처럼 영화에 표현되었다.

남에게 지기 싫어서, 혹은 누구보다는 더 유명해지고 인정받고 싶어서 우리도 종종 무리한다. 많은 영화와 소설, 심지어는 아이들이 보는 만화 애니메이션에서까지 주인공에게 지기 싫어하고 더 유명해지고 싶어한 라이벌이, 온갖 조작과 주인공 괴롭히기를 하는 장면이 나온다. 그러나 대부분 그런 이들은 끝에 가면 패배하고 망하고 벌을 받는다.

그토록 더 유명해지고 인정받으려는 욕구가 빗나간 행동을 부르고 나중에 더 비참하고 고립되며 모두가 멀리하는 외로움에 몰린다. 그 비슷한 크고 작은 경험과 실패의 쓰라린 추억들이 나에게도 있다. 어쩌면 나 말고도 홀로 가슴에 담는 많은 사람이 있을지도 모른다.

그 비슷한 감정을 느낀 경우가 또 있다. 이해인 수녀님은 자기가 다 사용하지 못할 많은 선물이 들어와 종종 그것을 다른 이에게 나누어주는 일상을 산다고 책에서 말했다. 가장 어울리고 필요한 누구를 떠올리며 작은 메모라도 포함해 미리 포장해두었다가 즐거운 선물 나눔을 한다고.

그분은 신앙심이 깊고 수녀라는 특별한 삶을 사시니 뭐 그럴 수도 있겠다지만, 또 한 분의 이야기를 들었을 때는 상대적으로 나의 욕심과 내놓지 못하는 좁은 마음이 비교되어 슬프기도 했다. 그분은 바로 노래하는 피아니스트 노영심씨였다. 그분도 이해인 수녀님 못지않게 비슷한 나눔을 즐기는 성품의 소유자였다.

'노영심의 선물'이라는 책을 내고, 많은 기부를 한 같은 이름의 음악회도 열었다. 그녀의 마음과 노래와 삶은 비슷한 공통점을 가졌다. '나눔'이라는 내주고 비우는 마음, 성품이다. 아래는 '노영심의 선물' 책을 설명한 것이지만 노영심이라는 사람을 소개하는 것과도 같다.

[피아니스트 노영심의 선물과 사람, 인생에 관한 맑고 향기로운 이야기.

이 책은 '이런 선물이 좋다'거나 '이런 포장을 해서 주면 좋다'는 식의, 아이디어 제안 실용서는 아니다. 그저 피아니스트 노영심이 자신이 했던 흡족한 선물 45가지를 얘기해줄 뿐이다. 사진도 그녀가 했던 선물의 모양을 짐작해볼 수 있을 정도로 아주 자그맣게 들어가 있을 뿐이다.

그렇지만 소중한 사람에게 특별한 날에 뭔가 선물을 하려는 사람이라면 재미있게 읽을 책이다. 노영심의 선물 이야기를 들으면, 무엇보다도, '선물이란 무엇인가'를 곰곰이 다시 생각해보게 되기 때문이다.

노영심이 말하는 선물은 특별하거나, 비싸거나, 실용적이거나, 예쁜 그런 것들이 아니다. 가수 이문세에게 선물한 코털집게, 여행가는 후배들에게 선물한 필름통으로 만든 양념통, 가수 김창환에게 선물한 책받침을 잘라만든 피크, 한국생활을 새로 시작하는 선배에게 준 비누와 치솔, 항상 앞머리를 제 손으로 자르는 독특한 친구에게 준 이발가위...

이런 선물을 생각해낼 수 있는 것은 선물을 받을 사람에 대해 깊이 생각하고 늘 마음에 둔 덕분이라고 그녀는 말해준다. 게다가 그렇게 선물 줄 사람을 생각하며 '무엇이면 기뻐할까'를 열심히 궁리하는 것, 그 자체가 선물하는 사람에게는 커다란 기쁨이라고 말이다.]

나는 이 향기로운 책 노래 삶 앞에서 더 많이 쌓고 싶어 욕심에 늘 붙잡혀 지내는 나의 민망함을 느낀다. 이건 이래서 아깝고 이건 하나뿐이라 못 주고… 이유를 대며 나눌 것들이 줄어드는 나를 본다.

널리 알려지고 싶고
많이 쌓고 싶은 욕망이
자꾸만 나를
외롭게 만듭니다.

당신의 나라로 가는 길은
넓지도 높지도 않고
좁고 깊은 길인데…

당신 한 분이면
족한 평안을 주소서!

그저 기도 16 - 좁은 길. by 희망으로

'하고 싶은 말 열일곱 - 내 탓일까? 니 탓일까?'

"야! 너 빨리 회개하래"

"내가 아니고 너에게 한 말인데?"

청년 때 교회에서 이렇게 예배 중 성경 본문을 들으면서 킥킥거리며 친구와 그 지목 대상을 떠넘기며 장난을 치곤 했다. 불경죄에 들어갈지 몰라도 목사님의 설교를 듣다가도 좋은 말이나 잘못을 지적하는 말이 나오면 서로 너에게 주는 말이라며 자기는 빠져나가곤 하며 놀았다.

훌륭한 성서의 가르침이나 성인, 철학자의 명언이 차고 넘치게 많은데도 세상이 그 효과가 미미하고 잘 고쳐지지 않는 이유 중 하나는 분명 이렇게 상대방에게 향해 하는 말이라고 주장하는 까닭도 있을 거다.

세례요한의 독설을 자신들에게 주는 하늘의 경고나 지적이라고 그 시대 엘리트 리더나 종교 지도자들이 받아들였다면 예수는 죽지 않았고 세상은 천국을 절반은 이루었을지도 모른다.

십계명을 몽땅 너에게 주는 법이라 강요하고, 나 자신은 잘 지키지 않는 이유는 뭘까? 지킬 자신이 없기도 하고 그걸 따지면 살아남을 사람이 없어서일지도 모른다. 종교 성직자나 법정의 판사인들 남들에게 내리는 정죄를 엄격하게 자신에게 향한다면 그들도 멀쩡할 수 있을까? 과연 그들은 아무도 걸리지 않는다는 보장이 있을까?

작은 단위인 가정에서 종종 부모라는 이유 하나로 자기들은 권위적이고 언행일치를 못 하면서도 자녀들에게는 너그러움 없는 잣대를 들이대며 문책하기도 한다. 자녀에게 강요하는 멋진 말대로 그대로 부모가 살아내기만 한다면 아마 훌륭한 부모로 존경을 받을 거다.

그래서 일본 속담에 '자녀를 가르치는 건 부모의 훈련이다'라는 말도 있다. 자녀에게 무엇을 지키게 하려면 자신이 찔리고 양심에 걸리니 고치게 된다는 뜻이다. 권위와 존경심을 잃은 부모와 자녀의 관계에서는 어떤 훌륭한 말도 성경의 진리도 그 힘을 잃고 빛이 바래진다.

'남에게 대접받고 싶은 대로 너희도 남을 대접하라!'는 말이나 '남의 눈에 티끌은 보면서도 내 눈의 대들보는 못 본다!'는 지적도 남을 향해서만 적용하지 말고 자신을 향해서도 적용하라는 말이다.

그러고 보니 진작부터 안 시켜도 잘하는 한 가지가 있다. 일곱 번씩 일흔 번이라도 용서하라는 말이다. 그 말은 남에게 하라는 말인데 자신에게 적용하는 사람들이 너무 많다. 내 죄는 일곱 곱하기 일흔 번이라도 한다. 무엇이든 용서하고 또 하고, 반복해 잘못을 저질러도 또 용서하고, 그거야말로 나 아닌 남에게 베풀어야 하는 규율이고 자비인데 이걸 반대로 하는 거다.

생각나는 것이 있다. 문제나 책임은 온통 남에게만 떠넘기고 자신들은 변명하는 현상을 고치려고 카톨릭에서 벌인 운동이다. '내 탓이오!' 운동이 그랬다. 세상의 문제나 원인에 내 탓이오! 라는 자세로 사회를 바꾸어보자는 취지였다.

그런데 '탓'이라는 단어가 어쩐지 좀 부정적 느낌으로 사용되어서 그런지 어감이 자꾸 걸렸다. '나부터!'라고 했으면 어떨까? 생각도 했다. 하긴 워낙 말을 잘 오염시키는 인간의 본성이 그 말인들 내버려 두었을까? 맛난 것도 나부터! 좋은 물건도 나부터! 높은 자리도 나부터! 그러면 다시 세상이 망하는 거다.

결국 말은 완전한 해답이 못 된다. 말의 바탕인 뜻을 헤아려야 하지만 그 뜻도 제각각일 수 있으니. 어쩌면 뜻의 본질이며 그 모델인 예수님을 잣대 삼아 묵상하며 살아야 할 것 같다.

'미안 합니다' 하고 또 하고
'안 그러겠습니다' 하고 또 하고
스스로 용서하기도 반복합니다

일곱 번씩 일흔 번 용서는
자기에게 하라는 것 아니고
남에게 하라는 것인데…

그럼에도 드리는 기도는
일곱중 한번은 다른 사람도
용서할 수 있게 해달라는 것입니다

'하고 싶은 말 열여덟 - 때로는 무기력함이 선물이다'

'아니, 이게 무슨 일이야?'

통장을 보다가 깜짝 놀랐다. 잔고가 '0'원… 빵원이었다. 아파트 임대료가 전액이 아닌 일부만 나가고 잔고가 제로가 되어 있었다. 그 뒤로 나갔어야 전세보증금 은행 대출이자도 펑크가 난 채 연체가 되어 있었다.

자동이체는 말 그대로 자동으로 나가고, 나는 늘 통장의 잔액이 조금 많게 유지했다. 임대료 관리비 대출이자 전화요금 등 다른 공과금이 나가는 통장은 많을 때는 70-80만원선을 유지하고 적을 때도 20-30만원 이하로는 내려가지 않았다. 모자랄 예상이 되면 카드 서비스를 빌려서라도 채워 놓았기 때문이다.

거꾸로 출금 이력을 살피며 알아보니 매달 얼마씩 지원되어 나오던

주거비가 중단되어 있었다. 곰곰 기억해보니 막내딸이 대학원으로 올라가면서 알바를 못 해 몇 달 걸려 청년주거급여를 신청했고, 그 심사가 통과되어 주거비 지원금이 나오기 시작했다. 문제는 동시에 부모인 우리 집 지원비가 중단되었다. 사전 예고나 연락도 없었고 문자 한 통도 없었다. 전혀 몰랐던 나도 아무 대책을 세우지 않아 펑크가 났다.

몇 날 동안이지만 그 작은 착오로 생긴 나비몸짓이 연쇄반응을 일으켰다. 직접 연관은 없지만 주말이 끼는 바람에 며칠간 온갖 짐작으로 스트레스를 받고 기다리는 동안 잊어버리려 무리한 운동을 했던 것이 비염을 최악으로 키웠다. 평소 약을 조금씩 먹으며 유지하던 것을 늘려 이삼일 복용해도 떨어지지 않았다. 연달아 재채기에 수도꼭지처럼 흐르는 콧물과 숨이 막혀 잠을 못 자는 동안 혓바닥은 물집이 잡히고 헐어버린 입안이 괴로웠다.

참다못해 약을 두 배로 늘려 먹었더니… 온몸은 땅으로 꺼져 들어가듯 가라앉고 젖은 솜이불처럼 무거웠다. 정신도 오락가락 비몽사몽 늘어져 헛소리가 나오고 뭔가 중요한 판단을 하는 일은 아무것도 할 수가 없었다. 아픈 아내가 죽지 않을 만큼 밥만 챙겨주고 나는 쓰러져 버렸다. 아내도 그런 내 상태를 보며 혼자 시무룩 끙끙 어두운 표정으로 마냥 티비만 보며 참아야 했다. 순식간에 나와 아내가 비참한 일상에 몰려 나쁜 품질의 생존을 맛보아야 했다. 만약 앞으로 주거비가 계속 중지되면 생활의 어떤 부분을 줄이고 무엇을 포기하고 버텨갈지 생각하느라 슬퍼졌다.

다행히 평일이 되어 긴 시간 통화를 하며 알아보니 구청 담당자는 전산 착오로 벌어진 일이라 바로 잡아 주겠다고 했다. 아무 사전 통보도 없이 중단되는 바람에 속이 타고 여러 곳이 연체된 것을 항의했더니 미안하다고 했다. 나는 전산 착오로 일어날 일이 아니고 담당 직원의 부주의로 변경해서 일어났을 거라 짐작했지만 그냥 참기로 했다. 빠른 시간에 정상으로 수습이라도 해달라고 부탁을 했다.

불과 한 달도 전 나는 큰소리를 쳤다. 누구에게가 아니라 나 스스로 지금처럼 이렇게 병원 탈출을 성공적으로 유지만 하면 너무 행복하다 싶었다. 춥지도 덥지도 않게 임대아파트 덕을 보며 살 수 있고, 세 곳의 병원에서 진료와 약을 처방받아 먹이면 아내의 질병을 잘 돌보면서 살아질 것 같았다. 아이들이나 우리를 아는 형제 지인들에게도 손 내밀지 않아도 되니 으쓱 어깨도 오르고 목소리에도 힘이 들어갔다. '걱정 없어~ 잘 지내고 있어!' 아이들 전화에도 그랬다. 마치 내가 유능한 해결자라도 된 기분에 아내에게 큰소리도 쳤다. '나 만난 거 복이지? 하하하!'라고.

그런데 불과 작은 일 한가지가 펑크 나고 몸의 약점이 드러나니 순식간에 자신감은 사라지고 모래 위에 세운 집처럼 허상이 깨졌다. 내 처지나 능력이 잔잔한 호수 위를 항해하는 튼튼한 범선이 아니라 겨우 몇 개의 나무를 묶은 뗏목으로 거친 바다 위에 떠있는 위태로운 상황이었다는 진실을 알게 되었다. 그런데도 그걸 까먹고 뒷골목의 3류 건달이 자기 동네에서 왕처럼 무서운 게 없는 기분에 빠졌다니… 어이가 없었다.

얼마 전에 읽은 '나는 사별했어요'라는 책에서 본 기억이 났다. 공동저자 몇 분들이 당한 현실은 아무도 미리 준비를 못 하는 인생의 단면을 보여주었다. 운동을 나가던 남편이 몇초 순간의 빗길 미끄럼 차 사고로 모든 것을 상실하는 어처구니없는 현실도 그랬고, 남편보다 늘 먼저 정상에 도착하는 씩씩하던 아내가 암 말기 판정을 받고 불과 7개월 만에 사별하는 고통도 그랬다. 그분들의 이야기와 사별의 운명처럼 내 욕심과 별개로 우리의 삶은 진행된다는 것을 또 실감하게 되었다.

너무 비관적으로 사는 것도 분명 은총 받는 신자의 삶이 아니지만, 지나치게 자기의 능력과 형편을 믿는 것도 진짜 신자의 태도가 아님을 배웠다. 변함없는 단 한 가지는 그 모든 순간마다 내 곁에 머무르며 걸어가 주실 분이 있다는 행운이다. 종종 그 사실을 잊고 큰소리치는 나를 그저 웃으며 넘겨주시고 등 돌리지 않는 분이 계심은 큰 은총이다. 얼마나 다행인가? 착오에서 깨어나도 죽음이 아니고 그분이 앞에, 곁에 동행해주시고 위로해주신다는 사실이!

내가 버티는거라고
내가 알아서 가는거라고
그렇게 자신만만했는데…
하지만 몰랐네요
당신이 붙잡고 있었고
당신이 앞에서 인도하는 줄을
오늘은 그냥 곱게 따라가는
지혜를 주소서.

그저 기도 18 - 곱게 따라가기 by 희망소유

‘하고 싶은 말 열아홉 - 남자들의 동굴, 왜 필요할까?’

“아빠! 뭐해?”

“응, 불 때고 있어!“

”왜?“

그때 아내가 그랬다.

”아빠 놔둬라! 지금 동굴로 들어가는 중이셔!“

하루에 버스가 몇 번 들어오지 않는 충주 아주 외진 시골 산 아래 오래된 흙집을 고쳐서 십 년쯤 살던 시절이었다. 나무 대문에 연달아 작은 사랑채가 하나 있었고 그 방 아래 구들을 데우는 큰 가마솥이 있었다. 아랫목 장판이 시커멓게 타 있을 정도로 뜨거워지는 황토방의 아궁이는 정말 불을 잘 빨아 댕겼다. 뒤쪽 굴뚝으로 연기와 더운 불기운이 빠르게 빠져나가는 그 장작을 집어넣는 아궁이는 나의 동굴이었다.

아내는 종종 그 쇠 가마솥에 물을 부어 넣고 잔가지와 신문지 몇장, 마른 장작 몇 개를 안고 와서 아궁이 앞에 앉는 나를 보면 눈치를 채곤 했다. '무슨 일 있어?' 묻기도 했었다. '그냥…' 늘 대답은 그렇게 하고 말지만, 대부분은 뭔가 마땅치 않은 일이나 누군가 밉거나, 그도 아니면 모자라는 생활비 돈 걱정을 할 때다. 지금 생각해보면 남자들이 만드는 동굴이었다. 그때는 그런 생각을 못 했지만.

활활 타들어 가는 아궁이 속의 장작을 보고 있으면 속이 후련해지고, 여러 이유로 참느라 바깥으로 내놓지 못한 감정의 찌꺼기 등도 빨려 들어가 타버리는 시원함도 있었다. 불을 보며 느끼는 쾌감에 행여 중독되나 살짝 두려움도 있었지만, 그보다는 거의 해소가 주는 즐거움이 더 많았다.

남자들은 살다 종종 자기만의 동굴로 들어간다. 깊이 생각할 일이 생기거나 감당하기 힘든 상황에 마주칠 때, 또는 어떤 결심을 해야 할 때. 그냥 사는 게 너무 허무하고 울적해서 짜증 날 때도 동굴을 만들거나 이미 만든 동굴을 찾아 들어가서 마음의 안식을 회복한다. 작게는 직장인들이 옥상으로 올라가 커피 한 잔을 마시거나 담배를 피우며 자기를 정제하는 모습도 있고, 크게는 정치인들이 큰 결단을 내리기 위해 백두대간 산행을 하는 등 여러 가지가 있다.

어떤 사람은 그 동굴이 낚시나 만화방이기도 하고, 영화관이거나 차를 타고 가는 드라이브 시간이 되기도 한다. 다른 이들이 말을 걸거나 하지 않고 남의 시선을 의식하지 않아도 되는 편하고 조용히 자기감정 자기 생각에 몰입할 수 있는 곳이면 다 동굴이 될 수 있다. 동굴 중 반복되면서 후유증이 심해지는 술과 마약, 경마장, 도박장 등은 중독을 부르기도 하는 최악의 동굴들이다.

나 같은 경우는 요즘은 걷는 시간이 나의 동굴 같다는 기분이 든다. 몸이 좀 힘들 정도의 두어 시간 걷는 동안 이런저런 얽힌 감정의 실타래도 풀고 해야 할 일의 우선순위도 정리한다. 아주 새로운 소득은 글을 쓸 묵상을 하기가 좋다는 것을 안 것이다. 아무도 중간에 방해하지 않고 끼어들지도 않아서 어떤 주제나 키워드, 때로는 성경 구절의 참 의미를 깊게 사색하기에 너무 좋다. 이 정도 되니 나의 동굴은 때때로 나의 골방이 되고 기도실도 된다.

그러고 보니 이 습관은 아내가 병상에서 투병하면서 생긴 것 같다. 병원에서 날마다 저녁때쯤 되면 녹초가 되고 두려움과 불안이 몰려와 견디기 힘들었다. 그래서 밤길을 몇 시간이고 계속 걸으면서 온갖 말과 감정 원망을 쏟아놓았다. 하소연이 되기도 하고 간절한 구조요청의 소원이 되기도 하고 그저 비명이고 신음이 되기도 했었다. 그런 일상이 십여년이 넘어가며 좀 차분해진 모양이 지금의 길 걷기가 되었다. 나의 동굴과 나의 골방이 하나가 되기 시작했다.

남자가 동굴을 만들고 피신하는 과정은 정말 유익하고 꼭 필요하다. 만약 그 동굴이 없다면 세상의 많은 장소가 바로 전쟁터가 되고 정제되지 못한 감정, 합리적이지 못한 선택들이 무수한 피투성이 난장판을 만들지도 모른다. 상대도 다치고 본인도 피투성이 중상을 입을지도 모른다. 다시 거두지 못할 상처의 말들을 쏟아놓다가 관계는 깨어지고 원수가 되어 각자가 지독한 고립의 감옥에 모두 갇혀버리는 지옥이 될지도…

나는 나의 동굴이 나의 골방과 하나가 된 것을 아주 감사히 받아들인다. 그 방법이 길을 걷고 자연을 느끼며 힘을 얻는 것으로 자리를 잡아가고 있음도 무지 감사한다.

'하고 싶은 말 스물 - 앉으나 서나 당신 생각, 피할 길 없네'

잊히지 않는다는 것, 잊을 수 없는 무엇이 있다면 우리는 어떤 심정일까? 만약 그 대상이 선한 것이거나 자랑스러운 일이라면 두고두고 기쁜 복이 될 것이다. 그러나 만약 그 대상이 나를 괴롭게 하는 것이거나 수치스러운 일이라면 빼지도 못할 만큼 살 속에 깊이, 박혀버린 큰 가시와 같이 고통스러운 불행일 거다.

나에게도 그렇게 심각한 것은 아니지만 잠시 시달렸던 기억이 있다. 청년 시절 누군가가 가진 물건 하나가 나도 가지고 싶어 쉬 마려운 강아지처럼 전전긍긍했다. 그것은 당시 거의 한 달 월급은 주어야 살 수 있는 일본 소형 녹음기였다. 일제 아이와 제품인데 아주 작으면서도 디자인도 마음에 들고 성능이 참 좋았다. 싼 제품과 달리 음질도 좋고 한쪽

면이 다 돌아가면 자동으로 반대 면이 재생도 되는 기능이 있는, 정말 욕심이 사라지지 않는 탐나는 물건이었다. 더구나 외국어를 배우기도 너무 좋았다.

종일 음악을 즐겨듣는 나에게 그 손바닥만한 초소형 녹음기 워크맨은 앉으나 서나 생각나고 잠을 자면 꿈에서도 그 제품 파는 수입상 진열장 앞에서 떠나지 못하고 안달을 했다. 그렇게 지독하게 나타나서 계속 생각으로 따라다니니 피곤할 정도였다. 말이 한 달 월급이지 당시 가난하고 통장에 많은 잔고 같은 게 있을 리 없던 나에게 한 달을 밥도 굶고 출퇴근도 걸어 다니고 10원 한 푼 안 쓰면서 그것을 살 형편은 도저히 안 되니 그림의 떡이었다. 나중에 할부로 사는 곳을 알게 되어 기어이 사고 말았지만.

많은 세월이 흘러 결혼하고 또 다른 비슷한 마음에서 떠나지 않는 대상이 생겼다. 이번에는 물건이 아니고 사람이었다. 아내와 결혼하고 낳은 세 번째 아이인 딸이 그 주인공이다. 연애 대상인 아내에게도 그렇게까지 집착 비슷한 생각을 하지는 않았고 위로 둘이나 있는 오빠들인 두 아들에게도 그러지 않았는데 이상한 일이었다. 물론 결혼한 처음부터 무지 기다리고 원했던 딸을 거의 포기할 정도 였는 데, 둘째 아들 낳은 후 6년이나 지나 얻은 늦둥이 딸이라 더 그랬나 보다.

당시 버티컬 브라인드에 그림을 그려 넣는 일을 다니던 중이었는데 출근하고도 자꾸 아이가 눈에 밟혀 수시로 전화로 아이가 잘 지내는지 물어볼 정도였다. 어떤 날은 아이가 아프거나 사고가 나는 나쁜 꿈을 꾸고는 아이를 확인하며 안고 다시 잠이 들 정도였다. 예전에 우리 조상들도 아이를 너무 이뻐하면 삼신할미가 질투해서 데려간다고 이름도 개똥이 못난이 등 못생기게 지었다고 한다.

오죽하면 그때 그런 기도를 드렸다. 어쩐지 내가 딸아이를 너무 이뻐하고 매달리는 벌을 받아 무슨 일이 일어날 것 같았다. 딸아이가 다섯 살 되기까지만 어떤 사고도 질병도 아이에게 일어나지 않고 잘 지내게 해주시면 스무 살이 된 다음부터는 무슨 일로 하나님이 부르시던 다 수용하고 어디로 보내도 감사히 받아들이겠습니다! 라고… 내게 양육을 맡겨주셨으나 내 소유라며 평생 끼고 살 욕심은 내지 않겠다고, 그러니 부디 일찍 헤어지는 어떤 불행은 제발 막아달라고 기도를 여러 번 드렸다.

[앉으나 서나 당신 생각 / 앉으나 서나 당신 생각 / 떠오르는 당신모습 / 피할 길이 없어라 /

가지 말라고 애원했건만 / 못본 체 떠나버린 너 /소리쳐 불러도 / 아무 소용이 없어라]

어느 날 뒤늦게 철렁 알게 된 더 큰 사실은 하나님이 나를 향해 부르며 마음 아파하셨을지 모른다는 것이었다. 나를 늘 생각하며 가지 말라는 애원을 하신 하나님, 애타게 불러도 아무 소용이 없는 속상한 마음으로 혹시 이 가사를 부르셨을 하나님을 짐작하니 참 많이도 미안해진다. 그것도 모르고…

'하고 싶은 말 스물하나 - '당신을 못 믿겠어요!'

불신의 영향력에 대한 심리를 조사하기 위해 이런 설문을 한다면 답이 어떻게 나올까? 밥이 백 그릇 있는데 그중 하나가 먹으면 한 시간 안에 반드시 죽는 독이 들어 있다. 아무 냄새도 색도 없어서 구별이 안 되는데 배는 너무 고프고 다른 아무 먹을 게 없으면 어떻게 할지, 백 그릇에 단 하나이니까 요행을 바라고 먹을지 안 먹을지를. 대답은 어쩌면 거의 전부가 어느 그릇에 독이 있을지 알 수가 없기에 안 먹겠다고 나오지 않을까?

비슷한 현상이 또 있다. 학급에서 한 학생이 가지고 있던 돈을 분실했다고 선생님께 말하면 학급의 전 학생이 가방 검사를 받게 된다. 혹은 모두 눈을 감게 하고 돈을 가져간 사람이 있으면 조용히 손을 들라고 한다.

그냥 돈만 회수하고 넘어 가주겠다고 하지만 손드는 경우는 거의 없다. 그 뒤에 끝내 돈을 훔쳐 간 사람이 밝혀지지 않으면 모두가 혐의자가 된다. 서로 혹시 저 아이가? 하는 의심의 눈초리로 보게 된다. 돈 씀씀이가 늘어나거나 조금만 이상한 행동을 보면 추측을 거쳐 도난과 연결해서 수군거리기도 한다. 한마디로 학급생 전부가 불신의 대상이 된다.

이렇게 불신은 단 하나만 던져져도 전부가 뒤집어쓴다. 그만큼 불신의 힘은 크고 깊게 퍼진다. 우리는 확실하지 않은 모든 대상에는 기본적으로 의심하는 본성이라도 있는 걸까? 어쩌면 불신의 특성 자체가 확실하지 않은 '어쩌면…'이나 '아닐까?' 같이 애매함을 바탕으로 하는 것이고 그래서 전파력이 더 강한지도 모른다. 인간의 본성에 숨어 있는 악한 기운이 힘을 얻기 좋은 먹이다.

불신의 또 한 가지 특성은 의심하는 쪽이나 의심받는 쪽이나 다른 사람에게는 양쪽 모두 의심의 대상이 된다는 것이다. 동업하든 친구 사이가 어느 날 서로 멱살을 쥐고 서로 자기를 속였다고 싸우면 그 진실을 쉽게 판단하기 어려운 다른 사람들은 그 두 사람 모두 상대를 속인 나쁜 놈일 가능성이 있다고 의심의 눈초리로 본다. 시어머니와 며느리의 다툼도 말하는 사람이 옳아 보이지만 옮겨 들어보면 그 사람 말도 맞는 것 같아서 판별할 수 없는 것처럼.

기독교인이 아닌 사람이 하나님 없다고 말하면 무시한다. 안 믿는 사람이 하나님 없다는데 새삼 별나게 볼 이유가 없다. 그러나 하나님이 계신다고 기독교인으로 살던 사람이 하나님을 못 믿겠다고 하면 그건 다르다. 그 순간부터 하나님과 사람, 둘 다 못 믿을 대상이 되는 것이다. 이전에는 있다고 하다가 없다고 하면 하나님도 사람도 믿을 수 없게 되는 것이다.

예수님 생전에 함께 다니던 도마는 예수님이 십자가에서 죽임을 당하신 후 나타났을 때 다시 사신 예수님을 믿지 못하였다. 생전 미리 이야기했는데도 불구하고 그랬다. 그 순간 예수님의 존재만 불신당하는 게 아니라 도마 자신도 불신의 수렁에 빠질 위기에 처했다. 다시 살아 나타난 예수님을 못 믿는 건 죽기 전 예수님의 말도 못 믿는다는 거고 그 예수를 따라다닌 도마 자신의 결정과 행적도 불신 되어버리는 꼴이기 때문이다. 다행히 예수님은 그런 도마를 나무라지 않고 손과 발의 구멍 난 상태를 확인시켜주고 두 사람 모두 불신의 파멸에서 벗어나 참믿음의 관계로 회복되었다.

사실 나는 사람들 모르게, 때로는 하나님도 모르게 못 믿겠다는 말을 자주 했다. 딸아이가 카톨릭이 운영하는 대안고등학교에 입학 신청서를 냈을 때 우리 사정이 꼭 되어야 했고 될만한 성적이었다. 그런데 탈락했다. 그때 나는 무지 낙심하고 하나님이 야속했다. 당시 아내와 나는 병원서 지내고 딸은 오갈 데도 방 한 칸 없었다. 그래서 기숙사를 운영하고 일년내내 지낼 수 있는 그 학교 입학이 너무도 절실했다. 그런데 딸아이보다 성적이 좀 낮았던 같이 지원한 중학교 친구는 합격하고 딸은 낙방이었다. 그 충격과 낙심은 컸다. 하나님이 외면했던 지 안 계시던지 둘 중 하나만 같았다.

그 후에도 아내가 많이 나빠져 응급실로 갈 때 중환자실은 안 가게 해달라고 기도했는데 결국 중환자실로 들어갔다. 처음 진단받을 때부터 이것만은 피하게 해주세요! 하는 기도는 번번이 빗나가고 나빠졌다. 병원비에 쪼달려 내일이 오는 게 막막할 때도 그랬다. 그럴 때마다 나의 믿음은 안개가 심해지고 불신이 스물스믈 피어올라 남들 몰래, 하나님도 몰래 중얼거렸다. '하나님, 계신 거 맞아요? 자느라 못 들은 건가요?' 그랬다.

그런데 그때는 몰랐다. 내가 종종 못 믿을 하나님 예수님이라고 말해버리면 그 결과 나만 이상한 사람이 되거나 하나님만 욕먹는 게 아니라는 사실을. 하나님과 나 양쪽 모두 사람들에게 믿지 못할 대상이 되어 욕을 먹는 처지에 빠지는 걸 몰랐다. 그렇다고 수시로 몰려오는 의심의 때마다 거듭 반복해서 예수님께 상처 난 몸을 요구할 수도 없고 그것은 건강한 믿음의 사이에서 가질 태도는 아니다.

그러려면 차라리 기독교 신자의 자리에서 물러나 하나님만이라도 온전히 신뢰받도록 해드리는 게 한때 기독교 신자였던 사람으로 매너 있는 행동일 거다. 아니라면 온전히 끝까지 믿으며 해를 끼치지 않아야 한다. 기독교 신자로 살면서도 불신의 말을 한다는 것은 마치 백 그릇의 밥 중 독이 들어간 하나가 되어 99그릇의 밥도 못 먹는 음식이 되게 하는 것과 같다. 또 친구의 돈을 훔치고 입을 다물어 학급의 나머지 모든 친구를 도둑의 혐의를 가지고 살게 만드는 것과 같은 짓이다.

'약한 자여, 그대 이름은 믿음 없으면서도 기독교 신자로 버티고 사는 염치없는 자다'

'하고 싶은 말 스물둘 - 내 맘에 안 든다고 미워하다가 당한 일'

"있잖아, 오늘 이상한 여자를 봤어!"

"뭐가 이상했는데?"

"세상에… 옷을 울긋불긋 무슨 무당처럼 입고 패션쇼 하듯 돌아다니는 거 있지!"

그렇게 낮에 본 나와 많이 다른 옷 스타일의 사람을 아내에게 흉보듯 퇴근 후에 말하곤 했다. 또 어느 날은 나와 정치나 종교에 대해 생각이 다른 사람을 만난 이야기를 했다.

"와! 뭔 그런 꽉 막히고 틀려먹은 사람이 다 있어? 답답해 미치는 줄 알았네!"

그러면 아내는 '그랬구나' 하듯 고개를 두어 번 끄덕여주곤 했다. 나중에 알았지만 그건 그저 같이 사는 사람에 대한 매너? 예의 정도였지 꼭 내 말이나 내 기준이 옳다는 것은 아니었다.

하여간 나는 그런 식으로 나와 생각이나 취향이 다르면 아예 다시 보는 거 자체를 불편해하고 멀리했다. 말이 많으면 자기 혼자 다 한다고 속으로 비난하고, 또 반대로 너무 말이 없는 사람은 '무슨 폼을 저리 잡아?' 하며 남을 경계하고 자기는 꽁꽁 싸매는 마음이 닫힌 사람처럼 매도하기도 했다.

그러니까 무조건 내가 편하고 좋아할 정도의 비슷한 취향이라야 훌륭한 사람으로 대접을 받을 수 있었다. 세상에 그렇게 이런 이유로 차단하고 저런 이유로 멀리하면 남을 사람이 몇이나 된다고.

결과는 어땠냐고? 뻔하다. 어떤 사람들은 시간이 지나갈수록 친구나 이웃이 늘어가는데 나는 그나마 있던 친구도 시간이 갈수록 줄어들고 잘 지내다가도 중간에 한 번 삐치면 떨어져 나갔으니 점점 줄어들 수밖에 ㅠ

아픈 사람들이 만난 병원 동기라는 특별한 공감대가 있어 어쩌면 더 가까워지고 외롭지 않게 교류할 수도 있는데 나는 그것도 잘 안되었다. 죄다 '이상한 사람' 아니면 '뭔 그런 답답한 시람' 이라는 딱지를 붙이는 바람에 그랬다.

그런데 모난 성격이 부메랑처럼 나에게 돌아와 된통 기죽은 적 있다. 아내가 워낙 급한 상태가 되어 구급차로 종합병원 응급실로 갔는데 자리도 없고 거절당해서 시멘트 바닥에 내 밀렸다. 이미 구급차는 가고 없는데 도저히 받아줄 수 없다고 거절당하고, 아내는 통증과 호흡 불편으로 고통을 호소했다. 아무 응급조치도 안 해줘서 따지다가 빌다가 방법이 없어 서럽고 눈물이 났다.

그때 거절한 병원에 대한 분한 마음도 있었지만 내 무력한 처지가 너무 한심해 더 서러웠다. 소위 의사라는 인맥이 사방팔방을 떠올려도 나에게는 단 한 명도 없었다. 아니면 비슷하게 도움을 청할 국회의원이나 유명인도 없고, 그렇다고 내 지갑에 돈이 넉넉하지도 않고… 그렇게 살았다는 내 한심한 처지가 질식할 것 같았다. 이럴 때 이 병원에 근무하는 의사 한 명만 인맥으로 알고 있어도 다른 길을 찾을 정보도 얻고 도움이 될텐 데 하는 생각에 그랬다.

그런 도움을 줄 만한 사람들 위치에서 나를 바라보니 딱 그들 세계에서는 나는 턱없는 우스운 존재였다. 나와 다르면 모자라는 사람 취급하던 그 상황이 바로 나에게 일어났다. 나는 도무지 대접할 이유도 등급도 안 되는 못난 존재, 그런 이상한 사람, 뭔가 답답해 보이는 사람이었다. 그날 밤 내가 응급실 의사들에게 대접받은 느낌이 딱 그 멀리하고 상종하지 않아도 당연한 대상이었다.

문득 그런 식으로 남을 보지 않고 오히려 남들과 다르다는 처지를 안쓰럽게 여겨 귀하게 상대해준 사람이 생각났다. 남들이 손가락질하는데도 생존을 위해 모른 척 외면하며 돈을 벌었던 사람. 키가 작아 남들이 앞을 가리면 저만치 설교자가 안 보여 뽕나무에 올라가서 봐야 했던 세리 삭개오. 그런데 예수님은 그를 내려오라 하고 그의 집에서 같이 저녁도 먹어주었다. 혹 잘난 사람들이 예수를 비웃는데도 불구하고 그랬다. 감동한 삭개오는 자기가 잘못 번 재물이 있다면 나누어주겠다고 아름다운 결심도 했다.

또 어느 여인은 서방님을 다섯이나 차례로 두었는데 불행이 끝이 없어 여전히 외롭고 힘겹게 살고 있었다. 세상 사람들은 남자 잡아먹는 여자라고 수군거리고 냉소적으로 대했고 늘 목마른 사람처럼 갈증을 달고 살았는데 예수님은 그녀의 가문과 과거를 무시하고 그에게 물을 얻어 마시며 영원히 목 마르지 않는 진리를 알려주었다. 사마리안 사람인 그녀는 어쩌면 좀처럼 경험하지 못한 인간의 대접을 받고 감동한다. 이웃들도 자기들처럼 살지 않았다고 외면하는데 예수님은 그 외면을 넘어서 영혼을 달래주신 거다.

간음하다 한때 상대였을지 모를 남정네와 여편네들에게 잡혀 광장에 끌려온 창녀. 예수님은 그녀가 돌 맞아 죽기 전에 나타나 '죄 없는 자부터 돌을 던져라!'는 말 한마디로 구해주었다. 간음은 혼자는 못 하는 일인데 그 남자들이 밤과 달리 정죄를 하고 여자들은 질투와 쌓인 울분을 그 창녀에게 모두 쏟아놓는 차별 대우를 하였다. 나중에 그 창녀가 모든 재산을 털어 옥합 향유를 예수님의 발에 붓고 장례 준비를 미리 했다던가? 그렇게 일생에 처음 대접받고 목숨을 구해준 분에게 감사를 드렸다는 뒷이야기도 있었다.

그런 세월을 겪으면서 나도 조금은 변해간다. 나와 다르게 생겼다는 이유로 미워하는 이유로 삼지 않으려 애쓰고 있다. 아직은 아주 잘 어울리지는 못하지만 내 문턱을 낮추고 친해 보려고 한다. 예수님이 나에게 보여주셨던 잣대와 참 포옹의 마음을 생각하면서.

'하고 싶은 말 스물셋 - '아내의 고맙다는 말'

"오늘도 하루 고마워요!"

"뭘 그 정도를 가지고~"

아내는 종종 하루를 마치고 잠들기 직전 불을 끄려고 하면 그렇게 나에게 진짜 마음이 느껴지는 인사를 하곤 한다. 하루 동안 세끼 먹을 거 챙기고 빨래나 청소도 하고 약이나 과일 간식을 준비해준 것에 감사를 표한다. 누워서 사는 사람이라 말로만 하는 것이 미안하다며. 특히 좀 고역인 화장실 씨름을 한 날에는 더더욱 감사에 무게가 실린다.

자주 들어도 인사를 받으면 늘 기분이 참 좋고 어떤 때는 신이 난다. 뭔가 해낸 것 같은 성취감과 내가 좀 괜찮은 사람이라도 된 것으로 느껴져 자부심이 든든해진다. 그런데 어느 날은 맘이 울컥하고 눈물이 핑 돈다. 어쩌다 아내가 이러고 살게 되었나 싶어 측은하고 맘이 짠해진다.

나는 예전에 아내에게 저녁이면 하루 수고해줘서 고맙다고 맘을 담아 말한 적 있던가? 기억을 샅샅이 뒤져도 그런 날이 없었다. 너무도 당연한 듯 넘겼고 세 명의 아이를 키우느라 수고를 할 때도 직장가서 돈 벌어 온다는 위세로 '피곤해…' 소리를 달고 살았다. 이 무슨 염치없는 과거였는지.

새삼 고맙다는 하루 마감의 감사를 받아보며 얼마나 그 말이 소중하고 위력이 큰지 알게 된다. 고단한 몸과 감정들이 씻은 듯 풀리는 효과며 기쁜 자부심을 가진 채 잠들어가는 그 평안과 행복한 순간은 돈으로도 살 수 없을 거다. 그걸 모르고 살았다니, 그걸 알아주지 못하며 살았다니… 참 오래도 세월을 낭비했다.

젊어서 만나 같이 늙어가는 부부는 세상의 으뜸가는 복이라더니 그런 것 같다. 별로 말이 없어도 표정만 보아도 뭐가 아쉬운지 뭐가 필요한지 짐작을 하는 사이가 되어 간다. 30년을 넘어가며 점점 말보다 먼저 마음속이 보이고 말보다는 먼저 이해와 행동으로 배려를 할 수 있는 날이 많아진다. 이 또한 다시는 얻기 어려운 오랜 공들여야 얻을 수 있는 복이 아닐까?

세월이 좀 더 가면 누가 먼저 떠나든 이별의 날이 오겠지? 남남에서 부부로 만나 거리를 점점 좁혀오다가 거의 하나가 되었는데 한쪽이 사라지면 아마 허전할 거다. 너무도 공평하게 모든 인간에게 닥치는 과정이니 받아들여야겠지? 아무도 모르는 세상에 혼자 처음 온 날처럼 마지막 날에도 아무도 없이 혼자 떠나는 숙명을.

다음 세상은 이전 삶이나 사람, 일들을 기억한다는 말도 있고 전혀 기억 못 한다는 말도 있는데 뭐가 맞는지는 모르겠다. 만약 아무 기억도 못 한다면 천국과 지옥의 판정은 어떻게 수용할까? 왜 그런지도 모르면서 상과 벌을 받는 모양이 될 테니. 만약 기억할 수 있다면 참 다행이겠다. 이 땅을 사는 동안 행복하고 감사했던 많은 사람과 순간을 기억한다면 분명 다음 세상에서 뿌듯할 거다.

그 생각을 하면 이렇게 살다가 잠시 이별의 슬픔과 그리움을 안고 지내는 시간이 괴롭겠지만 충분히 희망으로 참을 수 있을 것 같다. 다시 만날 기대와 설렘도 좋고 다시는 이별이 없는 세상에서 서로 가졌던 고마움과 감사를 지난 이야기로 나누면서 기쁘게 보낼 테니 얼마나 좋을까!

경사가 큰 언덕과 산을 넘어설 때 얻는 성취감을 우리는 경험으로 알지 않는가? 마지막 산이 비록 좀 더 힘들고 길더라도 희망과 믿음이 흔들리지만 않는다면 뭐 기꺼이 참고 넘길 수 있으리라! 그 작은 바탕이 될 거라 여기니 아내의 하루 마칠 때 하는 감사 말이 더 소중하게 느껴진다!

그저 기도 23 - 그저 감사 by 희망소요

'하고 싶은 말 스물넷 - 단 한 사람이 없어서…'

몇 년 전 기사에 달린 사진 한 장을 보고 가슴이 아프면서 깊이 새겨졌다. 고등학생 남자 하나가 엘리베이터 안에 홀로 웅크리고 앉아 힘들어하는 모습.

그리고 기사에는 그 남자아이가 7시간 뒤, 옥상에서 몸을 던지는 극한 선택으로 세상을 떠나버렸다는 내용이 실려있었다. 혼자 감당 안 되는 그 7시간 동안 얼마나 많은 생각을 했을까? 얼마나 많은 눈물을 속으로 흘렸을까? 바깥으로 흘렸다면 세상을 다 잠기게 하고도 남았을 거다. 우주보다 크고 무겁다는 생명이었으니.

누군가 한 사람만 곁에서 그저 앉아 있어 주기만 했어도, 눈물 펑펑 쏟으면 티슈 한 장 슬쩍 건네만 주었어도 어쩌면 다른 선택을 할 수 있었을지 모른다. 성적 문제라면 공부하는 법을 새롭게 연구하거나 돈 문제라면 누구에게 빌릴지 뒤져보거나 학생폭력을 당하는 중이었다면 용기를 내어 경찰서나 다른 단체에 도움을 요청했을지도 모른다. 곁에 누군가 한 사람만 있다면 그럴 힘이 생긴다. '같이 가줄래?' 라거나 '나 너무 힘들어…' 라고 중얼중얼 털어놓다가 무게가 가벼워져 다시 영차! 어깨에 지고도 일어날 수 있었을지 모른다.

그 한 사람의 힘이란 그렇게 무지 큰 탈출구가 된다. 설마? 싶은 곁의 그 한 사람이 주는 위력은 아무 일 없을 때의 평범한 한 사람과는 비교가 안 될 정도로 크다. 그걸 어찌 아느냐고? 내가 그 비슷한 자리에, 시간에 갇혀 본 적이 있어서 짐작한다. 주고 싶을 정도로 힘든 날이었는데 어이없지만 길 강아지 한 마리가 어슬렁거리며 주저앉아 있는 나를 빙빙 돌면서 내 관심을 끌었다. 그 강아지를 상대로 푸념 비슷하게 말을 내보내다가 죽지 않고 무사히 병원으로 돌아온 적도 있었다.

고민이 될 때는 그 고민이 물리적으로 사람을 눌러 죽이는 게 아니라 큰 화약고로 연결된 심지 작용을 해서 위험한 것이다. 그 심지에 불티가 날리면 점점 타들어 가서 쌓인 화약이나 폭탄이 터져버리는 것이다. 그 남학생이 엘리베이터에서 혼자 비통한 맘으로 웅크리고 앉아 있을 때 심지에 불이 붙기 시작한 것이다. 누군가 곁에 한 사람만 있다면 그 심지를 가볍게 발로 밟아 끄는 것은 별 힘든 일도 아니다. 누구나 자기 심지는 못 끄지만 남의 심지는 꺼줄 수가 있는 법이다.

우리는 많은 사람에게 유익하고 필요하고 인정받는 사람이라고 생각하며 산다. 진짜로 그렇게 믿고 애쓰기도 한다. 그런데 내가 위태로운 고립감에 빠져 옥상에서 연락할 사람을 찾다 보면 한 명, 한 명, 이래서 부담되고 이래서 미안해 못하고 어쩌면 거절할 것 같고 누구는 비웃을 것 같고… 다 손가락 사이로 빠져나가는 모래처럼 제외되고 정말 사람이 없는 경험을 한다.

한밤중도 아니고 대낮인데도 그랬으니 새벽이나 늦은 밤이었으면 더 했을 거다. 우리는 많은 사람에게 좋은 사람으로 산다고 생각하지만 그렇게 공사다망하게 사느라 바빠 정작 단 한 사람이 필요한 위태로운 그 누군가의 곁에는 있어 주지 못하는 안타까운 바쁜 사람들이 된다. 그 남학생의 가족이나 친구 선생님도 그런 말을 할지도 모른다. '그 정도로 죽을 정도면 나에게 털어놓고 말이라도 해보지 왜 혼자 끙끙 안고 있었어?' 라고.

그 남학생의 외롭고 무서운 시간에 그들의 이름이나 전화할 생각이 떠오르지 않은 것은 무언가 걸리는 게 있었을 거다. 그게 무엇인지는 모르지만. 그러기엔 당신이 너무 바빴거나 너무 잘나고 거리가 멀었거나 무슨 이유였던 있었을 거다. 죽을 정도로 암담하고 슬프고 외로운데도 말을 못 건넬 그 무엇이.

아주 오래오래 엘리베이터 속에 혼자 웅크린 그 남자아이의 어깨가 자꾸 들썩거리며 기억에서 떠나지 않는다. 오래 갈 것 같다. 나는 그 순간 어디서 무엇을 하고 있었을까? 또 다른 그 남자아이 같은 내 주변의 누군가가 그러는 동안. 가끔은 내가 그 남자아이가 되어 쓸쓸하기도 하다. 난 누구에게 밤이든 낮이든 상관없이 '나 너무 힘들어! 너무 슬퍼…' 라고 전화 걸고 말할 수 있을까? 그게 누구일까? 있기는 하나?

아주 가까운 부모 자식, 형제 사이도 마지막 외진 벼랑 끝에 설 때 멀리 있는 경우가 많다. 혈육이라고 모두 그 곁을 지켜주지 않는다. 오히려 가깝다고 더 무디고 일방적이라 남보다 도움 안 되기도 한다. 그러면 그게 무슨 가족이라고… 핏줄은 그저 같은 공장에서 찍혀나온 닮은 물건일 뿐이다.

사람은 사람에게 해결책은 못 된다. 희망도 구원자도 못 된다. 믿음의 대상도 못 된다. 그래도 사람이 다시 기운을 내어 살 수 있는 자리로 가기 위해 일어날 때 부축할 정도는 된다. 사람이 목적지 자체는 못되지만 어디로 갈지 고민할 때 이정표나 가이드 정도는 된다. 사랑을 담은 이웃은 될 수 있다고 성경은 말해준다. 서로 사랑하면 두려움을 내어쫓고 오래 견딜 수 있게 된다고.

우리가 오늘 너무 바빠서 너무 많은 사람의 친구는 되면서도 정작 꼭 필요한 단 한 명의 사람은 못 되는 안타까운 경우에 빠지지 않도록 자신을 돌아보게 해주소서! 잊지 않고 엉터리로 살지 않도록 깨워주소서!

'하고 싶은 말 스물다섯 - 생각은 화도 부르고 복도 부르고!'

'말이 씨가 된다'는 속담이 있다. 좀 더 정확하게 표현하면 '생각이 열매가 된다'가 맞다. 말은 그 이전에 가진 생각에서 나오고, 말에서 나온 씨앗은 싹이 되고 가지가 된 다음 자라 열매를 맺기 때문이다.

생각이 말로 나오고 그 말은 감정을 동반하게 된다. 감정은 행동하게 만들고 행동은 반복되면서 습관이 된다. 그렇게 쌓고 쌓인 습관이 만든 결과가 열매가 된다.

부정적이고 악한 생각은 부정적이고 악한 말을 내뱉고, 부정적이고 악한 말은 분노하고 폭력적 감정을 동반해서 짜증을 내며 파괴적인 행동을 한다. 그 결과는 갈등과 다툼, 나와 남에게 상처를 내고 처벌과 실패 폭망을 반복하니 실패한 삶의 열매를 맺는다.

썩은 열매는 모두가 외면하고 세상을 병들게 한다.

나에게 주신 것이 비록 오두막일지라도 남의 궁전보다 값지고 멀리 있어 나와 상관없는 화려한 남보다 내 곁에 보내주신 따뜻하고 소박한 이웃이 나의 진짜 복이었음을 감사한다! 어리석은 생각 때문에 원망으로 받아들일 뻔한 일상을 깨닫게 해주셔서 건강한 생각으로 잡아 주셨다.

내 속에서 아주 작은 단위로 수시로 가지는 생각 하나가 씨앗보다 더 이전 단계의 생명과 건강과 장래를 결정한다. 날마다 잠에서 깨어나는 이른 아침에 가지는 생각 하나하나 날마다 잠들기 전에 마무리하는 생각 하나하나가 그 모든 인생과 세상에 영향을 미치며 결과를 좌우한다.

날마다 감사한 생각 하나씩 반드시 찾고 가지는 훈련이 세상이라는 수도원에서 일상이 기도가 되는 구체적 삶이다. 모든 생각의 바탕이 되고 출발이 되며 모든 날과 일들의 마무리에 계시는 하나님이 오늘도 나와 함께 하시게 된 것이 천만다행이고 감사하다!

화려한 궁전이 아닐지라도
눕고 자고 쉬는 자리를 주심을 감사합니다.

좀 뛰어나지 못해도
같이 울고 웃을 이웃 주심도 감사드립니다.

주님이 제게 그랬습니다
남의 궁전 아닌 나의 오두막이 되고
화려한 남이 아닌
따뜻한 이웃이 되었습니다

그저 기도 25 - 나의 오두막. by 희망으로

part 2

믿으면서도 기다리지 못해 드리는 기도가 있다

26.도대체 선한 사람이란 어떤 사람인가? / 27.바람만 불어도 행여 그 분인가? / 28.나 좋아하는 사람만 좋아하고 받을 때만 감사하고 / 29.하나만 있어도 좋은 복 / 30.잘 살 기회는 많지만 잘 죽을 기회는 한 번뿐 / 31.좁쌀 반쪽만한 기도라도 그나마 변치 않기를 / 32.어디에 핀들 꽃이 아닐까만 / 33.까먹지 말고 쫌... / 34.함께 힘이 나는 말 / 35.기쁨과 슬픔도 감사 / 36.남의 유익을 위하기란 얼마나 힘든지 / 37.스토킹을 당해도 감사할 수 있나? / 38.설마 나를 잊지는 않으셨지요? / 39.엄마와 달고나 / 40.맘씨 좋은 전당포 주인 아저씨 / 41.오늘도 우리 만남은 일방적 확인 / 42.함께 걷는 여행자가 되고 싶어 / 43.날 사랑하는 사람만 사랑하면... 그건 감옥! / 44.벌판같은 세상에서 들꽃처럼 살고 싶어 / 45.세상이 내 것이 아니었던가? / 46.하늘통로만 바라봅니다 / 47.자꾸만 소중해지는 당신뿐 / 48.내 길의 끝에는 벼랑이 있다 / 49.하루의 시작은... 감사합니다! / 50.두 개의 바퀴, 두 개의 날개, 두 개의 세상

'하고 싶은 말 스물여섯 - 도대체 선한 사람이란 어떤 사람인가?'

돈을 받고 인력거를 끌고 가는 사람은 돈을 내고 앉아서 타고 가는 사람보다 못난 것인가? 이른 아침에 나와 사람들이 오기 전에 화장실이랑 계단을 청소하는 아주머니는 그 청소된 공간을 사용하는 사람들보다 천하고 낮은 사람인가? 큰 교회를 걸어서 온 평신도는 비싼 고급 차를 타고 교회로 온 목사보다 더 낮은 자세로 허리 숙여 인사를 해야 하는 하나님의 자녀인가?

이론과 머리는 아니라고 대답하는데도 현실에 연결된 감정은 그렇다고 느낀다. 심지어 음식이나 마트의 장 본 물건을 배달온 사람에게도 불만 사항이 생기면 식당 종업원 대하듯 만만하게 짜증을 낸다. 고분고분하지 않으면 다른 집으로 단골을 옮겨 버리겠다는 협박을 하면서.

험한 건설 현장에서 잡부로 일하는 사람은 좋은 옷 입고 관리를 하는 사람보다 좀 더 막 대하고 말을 높이지 않아도 된다고 무의식적으로 편견을 가진 사람들도 많다. 정말 그럴까? 직업에 귀천이 없고 신분제도도 사라진 현대 사회에서 직급 노동 종류 맡은 일에 상관없이 모든 사람은 공평하다는 사실을 머리는 안다. 하지만 마음속까지 차별 없이 그렇게 대접하는 경우는 말보다는 드물다.

하물며 선택받은 사람이라는 자부심으로 가득 찬 어떤 사람들은 선택받지 못한 사람들로 보이는 비신자, 죄인 무리로 보는 직업별 대상에게는 보이게 보이지 않게 무시하고 낮추어보기도 한다.

유대민족에게 사마리아인이 어떻게 보였을지 짐작만으로도 화면을 보듯 선명하다. 아파트 평수만 넓어도 좁은 서민 아파트 사는 친구는 사귀어서 안 된다는 부모도 있고 당사자인 싹수 노란 애들도 있다. 그런데 어디 불행이 신분과 민족을 가려서 올까? 직위와 분야를 가려서 화재나 강도를 당할까? 그 당당하다던 사람도 사고를 당한 처참한 상황이 되면 도움을 받아야 한다. 그런데 자기를 도와줄 손길을 골라 가며 받을 수는 없고 그렇게 한가하지 않다.

현대 사회에서도 어려움을 당한 사람을 보면 팔을 걷고 뛰어들어 힘을 모으는 건 늘 무시당하고 어쩌면 억울하고 복수의 분노를 쌓았을지 모를 보통 사람들이다. 그건 힘들게 살아 본 경험에서 나오는 것이다. 자기가 겪어보았기에 남의 어려움도 이심전심 공감이 빨라서 그럴지도 모른다. 힘없는 사람만 가지는 무슨 태생적인 유전자나 본성 때문이 아니라 환경과 일상에서 생긴 선한 반응일지도. 강도 만난 사람을 많이 배우고 많이 가진 부자는 다 지나가는 데 가던 길을 멈추고 가진 돈을 다 털어 돕고 치료하던 사마리아인의 성경 이야기가 생각난다. 그건 심심할 때 들으라는 옛날이야기가 아니고 세월이 아무리 흘러도 안 고치는 겉만 거룩한 얄팍한 무리에게 주는 경고다. 진짜 거룩하고 선별된 성도는 사랑을 잃지 않은 사람만이 받을 자격이 있다는 것을 알려주는 진짜 거룩한 신자의 이야기!

그저 기도 26 - 진짜 이웃. by 희망소요

'하고 싶은 말 스물일곱 - 바람만 불어도 행여 그분인가?'

아주 작은 바람에도 갈대는 흔들린다. 소리도 나지 않고 발자국도 남기지 않고 흔적도 없이 지나가는데 갈대를 흔들고 간다. 기어이 나를 흔들어놓고야 가는 욕심처럼.

좋아하는 책도 눈에 보이는 대로 사고, 멋진 풍경을 가진 모든 곳을 다 가보고 싶기도 하다. 내 아이들은 무슨 경쟁이든지 척척 통과하고 남들보다 빨리 안정된 자리와 높은 인정을 받았으면 좋겠다. 얼핏 누구나 바랄 수 있고 당연히 가질 수 있는 욕심이라고 생각한다.

그러나 많이 경험해보았지만 사람의 욕망은 여기서 그치지 않는다.

그래서 계단에서 계단 하나를 그냥 더 오르듯 표나지 않게 슬그머니 더 하고 추가하고 또 추가한다. 그래서 구차한 변명이 따르는 욕심이 맞다. 사람은 앉으면 눕고 싶고 누우면 자고 싶다더니 그렇다. 처음에는 좀 앉아서 고단한 몸을 쉬기만 해도 좋겠다고 시작하고서 그렇게 된다.

처음에는 마실 물만 있어도 감사하다가, 몸에 더 좋은 물이 있다면 그것을 원하고 기왕이면 많이 확보해놓았으면 좋겠고, 그걸 보관할 냉장고가 있으면 좋겠다고 한다. 기왕이면 더 멋진 디자인에 사람들이 부러워할 만한 메이커 제품이면 더 좋겠다고 욕심을 낸다. 그 냉장고에 격이 맞는 수준의 집이 필요하고, 그 집에 어울릴 다른 살림살이와 자가용과 씀씀이도 감당할 만큼 재산도 많았으면 좋겠다고 더 나간다. 마침내 그 수준에 맞는 자식들의 성공과 여유도 있어야 남들의 시선을 받을 테니 그만큼 벌기 위해 수단과 방법을 다 해야하는 필연적 입장에 마주한다.

그렇게 욕심은 하나씩 하나씩 변명을 끌어오고, 한편으로는 그 욕심이 지장을 받는 일은 피하고 싶어진다. 걸림돌이 되는 사람을 피하는 사이 하나둘 멀어지기도 한다. 뭔가 자기에게 이익이 될 것이 있다고 기대하는 사람만 남는다.

어느 날 그 진실을 알아차리고 외로움의 벌판에 홀로 선 것을 느끼지만 이미 너무 멀리 와버렸다. 몸과 마음, 생활과 습관에까지 속속 파고든 질긴 뿌리들을 다 잘라내면 어쩌면 못 견디고 죽을지도 모른다.

하루아침에 단순하고 조촐한 가난한 처지로 바뀌면 멸시와 조롱을 할 남들의 눈이 겁이 난다. 망했다. 빼기도 돌아서기도 너무 늦어버린 두 마음의 일상을 어떻게 회복해야 할지 엄두가 안 난다. 소문처럼 남몰래 예수님의 옷자락에 손을 대면 질병이 나을까? 몸과 마음의 질병이 동시에 고쳐질까? 생명을 유지하면서 새로운 삶을 얻을 수 있을까?

오늘도 두리번거린다. 어디 사막을 가로지르고 오는 바람 속에 예수님의 옷자락이 보일지… 그냥 나를 흔들고 가는 바람이 아니라 내 병든 몸과 마음을 고쳐주실 예수님이 그 바람 속 한가운데에 계시기를 기대해본다. 바람들고 바람맞고 바람나서 망가진 나를 새롭게 씻기고 세례를 베풀어주실 주님의 향기로운 바람을.

'바람 속의 주' / 유경환시 김정식곡

1. 그 옷차림 스친 곳에 스며있는 향기를 / 그 발자국 패인 곳에 굳어있는 믿음을 / 바람 부는 돌밭 속에서 가득 안은 이 기쁨 / 내 이젠 다시 해매지 않으리 / 바람 속의 내 주여

2. 그 뒷모습 혼자이나 어디에나 계시고 / 그 목소리 아득하나 바람처

럼 가득해 / 간절하게 올린 기도로 만나뵈온 이 기쁨 / 내 이젠 다시 외로웁지 않으리 / 바람 속의 내 주여

바람에 날리는 갈대처럼
내 힘으로 불드는 신앙심은 초라했어요
욕심 하나에 변명은 둘 셋 늘어나고
두려움 한 번에 이웃 친구가 하나 둘 사라지고…
숨어서 당신의 옷자락 끄트머리라도 잡으면
내 몸의 병도 마음의 병도 다 나을까요?
그럴수 있게 해주세요

그저 기도 27 - 옷자락이라도 by 희망으로

‘하고 싶은 말 스물여덟 - 나 좋아하는 사람만 좋아하고’

내가 좋다는 사람만 좋아하면 편하고 기분이 좋다. 나 밉다는 사람은 나도 미워하고 나 못났다고 하는 사람하고는 안 만날 거다.

뭔가 받을 때만 감사하고 소원이 이루어질 때만 믿을 거다. 아무 생기는 것 없는 모임에는 안 가고, 아무것도 줄 것이 없는 사람은 멀리할 거다.

이렇게만 살면 평생 행복하고 부자가 될 수 있을까? 미움 안 받고 고민도 없이 지낼 수 있을까? 가난을 걱정할 일도 없고, 가진 것이 바닥나는 일도 없겠지?

그런데… 내가 좋아하는 그분이 나를 안 좋아하게 생겼다. 어쩌면 좋을까?

[너희가 너희를 사랑하는 사람들만 사랑한다면, 그것이 너희에게 무

슨 장한 일이 되겠느냐?" - 누가복음 6, 32]

그러면서 죄인들도 자기를 좋아하는 사람은 사랑한다! 고 말한다. 내가 죄인과 다를 게 없다고.

나를 안 좋아하는 사람을 참으며 좋아하기가 얼마나 불편하고 힘든데. 맘에 안 드는 말도 행동도 소화해야 하고, 나와 다른 선택을 하고 나갈 때도 설득하고 타협해야 한다. 심지어 내가 포기해야 할 때도 있으니 '그만둬! 각자 가자!' 해버리지 못하고 관계를 유지한다는 것, 그거 무지 고단하다니까.

받는 거보다 주는 게 더 기쁘고 잘하는 거라 말하지만 그러면 뭐가 남아날까? 어떤 사람은 늘 받기만 하고 갚을 가능성이라고는 하나도 없는 지독한 얌체도 있는데 밑 빠진 독에 물 붓는다는 거 진짜 오래 할 수 있는 일이 아니다. 근데 한술 더 떠서 그런 사람은 더 나눠줘야 한다고? 내가 좋아하는 그분이 그렇게 말한다. 진짜 답이 없다.

투덜투덜 고민하는데, 그분이 슬쩍 이런 말을 내 귀에 대고 한다. 아… 충격을 받았다. 이거 남들이 알면 정말 큰 일이다. 비밀을 지켜주시라! 뭐라고 하시냐면.

"야! 너 모르지? 니가 바로 남들이 아무도 좋아하지 않는 그 사람인 거! 다들 너 안 보려고 하는데 내가 간신히 달래서 좀 만나주고 좋아해

주라고 했다니까!"

더 슬프고 민망한 말은 이거다.

"너 남에게 아무것도 안 주는데 얼마나 많은 사람이 너에게 주었는지 아냐? 돈이고 밥이고 온갖 것을 나누어 주었다니까! 너에게 한 번도, 한 푼도 받아본 적이 없는 사람들이 수두룩하게 많이!"

변명할 말이 없다. 돌아보니 그랬고 심지어는 내가 내 가족에게도 준 거보다 받은 게 많았다. 애들까지도 그랬다.

받는 것이 많을수록 감사는 커지고
힘든 날은 조금만 길어지면
원망이 깊어집니다
믿음없는 사람들이나 그런다고
우습게 본 내가 그럽니다

주와 함께 사는 삶은
가난할수록 감사하고
고난중에 더 든든해진다고 말은 해놓고
아직은 말뿐인 이 딱한 믿음을
조금씩 아름답게 바꾸어주소서

그저 기도 28 - 말뿐인 신앙 by 희망소로

'하고 싶은 말 스물아홉 - 하나만 있어도 좋은 복'

세상에는 돈을 잘 버는 사람이 어찌 그리 많은지. 뭐 너무 알려진 재벌이나 유명 인사들은 아예 제쳐놓고도 뭐해서 일 년에 수십억 벌었다는 기사나 성공담이 넘친다.

내 소심한 비교는 도시의 셀 수도 없는 숱한 아파트 단지들, 그중에 내 거 하나도 없다는 사실에 '에구! 기죽어요… '한다. 전국에 아파트 세대가 몇 개나 있을까? 알고 싶지 않은 이유도 너무 더 주눅 들 거 같아서다.

또 세상에는 얼마나 여러 분야에서 전문가나 재능이 빛나는 사람들이 많은지. 노래 잘하는 사람을 보면 감탄하며 나는 왜 노래를 못하지? 강연을 잘하는 사람을 보면 난 왜 저렇게 말 못 하지? 운동 잘하는 사람을 보면 난 잘하는 운동이 뭐가 있지? 그런다. 수백 가지 분야가 있는데 어느 하나라도 내세울 것이 마땅치 않고 남들이 알아주지 않는 현실에 슬그머니 소심해진다. 이제 나이도 적지 않아 노력해볼 기회도 별로 없으니 어쩌지? 싶다.

하다 겨우 생각해낸 게 내 또래의 사람들보다 좀 건강하기라도 했으면 좋은데 부모님 양쪽이 다 암으로 돌아가셔서 가족력 불안이 늘 짓누른다.

이쯤 비교하다 보면 슬슬 원망이 생긴다. 이게 뭐야? 나도 뭐 하나는 번듯한 자랑거리를 주셔서 그걸로 성공도 하고 자랑삼아 살게 해줘야 하는 거 아닌가? 참 인색하신 하나님이다.

사람을 한 종목 한 종목 동물들과 비교하면 세상에 사람만큼 열등 동물이 없다. 빠르기는 치타에 지고 덩치는 코끼리에 못 당하고 수영은 상어만 못하고 먹는 걸로는 돼지를 못 당하고 나무타기는 원숭이를 못 이긴다. 겨울 추위를 버티는 건 북극곰을 못 따라가고.

그래도 사람은 그런 뛰어난 동물들이 가지지 못한 몇 가지 장점이 있다. 말과 글을 사용해서 소통하고 기록을 한다는 것. 불과 도구를 스스로 만들어 사용한다는 것. 그런 것들 덕분에 동물들보다 높은 만물의 영장이라는 자리를 차지하고 최고 문화를 남긴다.

나에게도 그런 뭐가 있을까? 자기 능력 가진 사람들은 없는 것, 바로 의탁하는 삶! 하나님을 만나고 믿고 맡겨보는 배짱? 뭐 그런 신앙심이다. 이게 뭐 나만 누리는 특별 재능이나 복은 분명히 아니다. 그래도 이것이 나의 능력이라는 말은 다른 사람들보다 나는 더 많이, 확실히 의지한다는 것이다. 안 그럴 수 없잖아? 도무지 자기를 스스로 믿을 게 없으니 더 그렇다.

하여간 다른 많은 분야는 끄트머리에 간신히 대롱 달려서 살지만 이 한 가지, 하나님을 만나 많은 부담을 턱! 하니 믿고 떠넘길 수 있는 복은 주셔서 생큐다! 고맙지요. 암만~

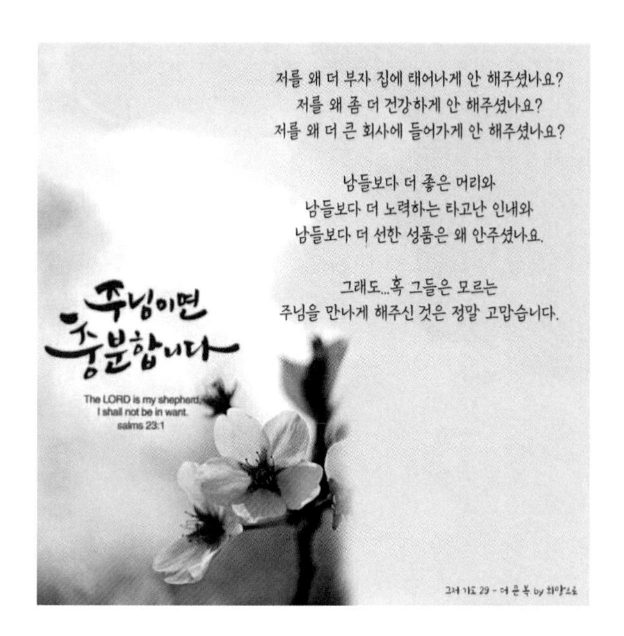

'하고 싶은 말 서른 - 잘 살 기회는 많지만 잘 죽을 기회는 한 번뿐이다'

잘 살기 위한 모든 노력은 연습이다. 사는 기회는 오늘 내일도 오고, 그다음 날도 온다. 그리고 그다음 날의 다음 날도 또 온다. 이 모든 날에 고민하며 수고하고 때로는 다시 고쳐서 또 시도해보는 이유는 모두 잘 죽기 위한 훈련이다.

왜 잘 죽어야 할까? 사는 동안은 계속 고치고 바꿀 기회가 주어지지만 잘 죽는 건 한 번만 오는 기회이기 때문이다. 두 번, 세 번 다시 죽어보았다는 사람은 보지 못했다. 그 한 번뿐인 기회를 연습이나 준비가 모자라 망치면 다시는 기회를 얻지도 못하고 고칠 수도 없다. 오늘, 그 이후는 영원히 고정된 채 간다. 자랑스러우면 자랑스러운 대로, 부끄러우면 부끄러운 대로. 죄를 지어 벌을 받는다면 벌 받는 상태로 영원히!

그래서 한 번뿐인 죽음의 순간에 잘 죽어야 하고 그 죽음이라는 단 한 번의 시험을 잘 치르기 위해 수험생의 기간인 살아있는 동안 계속 연습해야 한다. 옳은 길을 찾는 공부와 죄를 더하지 않는 수련과 온전한 사랑을 베풀 두 마음 아닌 정직한 일상, 그리고 정말 마주치고 싶지 않은 과정인 긴 고난과 그때 감당할 긴 침묵은 가장 어려운 훈련이다.

대개 그 단계에서 낙오한다. 좌절과 원망으로 배신과 미움을 쏟아내기도 한다. 몸이 치매에 걸리면 사랑하는 가족을 아프게 하듯 영혼과 마음의 배신은 신뢰를 깨고 아픈 상처를 남긴다. 행여 정신을 놓치고 내 배우자와 아이들에게 헛소리 폭행 폭언을 퍼붓는 치매만은 안 걸리게 빌 듯 기껏 오랜 시간 믿으며 온 길을 뒤엎는 배신 않기를, 필요하면 행운이라도 얻기를 빈다.

그래서 단 한 번, 잘 죽기 위한 지루하고 긴 수도 생활 마지막 날 비는 것은 잘 죽고 싶은 소망일 거다. 그러기 위해 오늘도 신발 끈을 조여 매고 훈련에 임한다. 사방이 벽에 막히고 하늘마저 침묵하고 있는 날에도 비 내리고 바람 불며 벌판에 홀로 선 심정일 때도, 벙어리로 견딘 사가랴와 13년을 침묵 속에 보낸 바울과, 골고다 언덕으로 십자가 메고 올라가는 예수님의 경우를 위로 삼으며 하루를 잘 살기로 작정한다.

세상이라는 수도원에서 일상이라는 훈련을 하는 연습생이자 수도자의 마음으로…

의심하다 벙어리가 된 세례요한의 아버지 사가랴
회심 후 다소로 낙향해 13년을 침묵한 바울
채찍과 조롱 속에 입을 다무시고 하늘에 순종한 예수님
모두 침묵으로 당신을 만났습니다
이분들과 비교도 안 되는 작은 고난에도
저는 수시로 말을 잃고 단지 슬픔에 잠깁니다.
오늘은 당신을 만나 다시 말과 웃음을 찾고 싶습니다
부디…들어주소서

그저 기도 30 - 침묵 by 희망스쿨

'하고 싶은 말 서른하나 - '좁쌀 반쪽의 기도라도 변치 않기를'

"안돼요! 제발… "

새가슴처럼 쪼그라들어 울먹이며 간절히 매달리다 퍼뜩 꿈에서 깨었다. 그러고도 두근거리는 마음이 진정이 안 되어서 한참을 고생했다.

'이제 재판을 시작하겠다! 각자 산대로 평가할 건데 평가 기준은…'

그 뒷말에 아연실색했다. 시중 속된 표현으로 '새 되고 망했다! 그리고…피 보게' 생겼다. 각자 살아온 평가를 하는 것은 놀랄 일도 아니고 이의도 없다. 그러나 그 기준이 나를 충격에 빠지게 했다. 살아서 각자가 남들 앞에서 고백하고 기도한 내용을 잣대로 적용한단다. 그러니까 말한 대로 그렇게 살아냈는지 비교해서 점수를 매긴다고.

세상에 멋지고 화려한 말을 수도 없이 쏟아낸 나는 어쩌라고? 주로 글을 통해서, 더러는 기도로 했다. 가끔은 사람들이 삼삼오오 모인 자리에서도 열변을 토하며 기독교 신자는 이렇게 살아야 한다! 고, 이제 그걸 어떻게 수습한다지?

이런 방식인 줄 진작 알았더라면 입에 자물쇠 채우고 밥 먹을 때만 풀며 살 걸…ㅠ 후회는 늘 늦어서 하는 거라지만 정말 후회막심이다. 누가 이럴 줄을 알았나. 그런데 궁금해졌다. 나 같은 평신도에 수준도 낮은 사람이 이 정도면 수백 수천, 아니 수만 명 모아놓고 높은 강단에서, 또는 책과 방송에서 수십 년을 금과옥조를 쏟아내신 목사님 같은 분들은 어쩐다지? 남의 걱정할 때가 아닌데도 걱정이 되었다.

물론 내뱉은 말 그대로 생활로 다 사신 분들이야 어마어마한 점수에 넘치는 상을 받으시겠지만 그런 분이 얼마나 있을까? 거의 없을 거라 생각된 것은 그 말대로 살다 보면 화려한 성공은 백 번을 죽었다 깨어도 못하고, 배부른 살림은 고사하고 가난과 고단함과 갇히고 매 맞는 일도 흔했을 거다. 하물며 화려한 일상을 누리기는 만만의 콩떡이고 절대 불가능한 모순이다. 예수님과 베드로, 사도 바울 등 누구를 보아도 뻔하고 다들 알지 않나? 후세에 성인 칭호를 받은 사람 중에 호의호식 누린 사람은 아마 별로 없을 거다.

따지고 보면 순전히 나만의 잘못은 아니다. 예수를 믿고 뭐든지 말만 하면 날마다 행운과 기적이 일어난다고 하나님을 생판 모를 때부터 귀가 아프도록 들었다. 그걸 안 믿으면 오히려 믿음이 부족하고 의심이 많다고 비난받기도 했다. 그러니 자꾸 맞다! 맞다! 그렇게 자신을 세뇌하며 살았다. 그러다 점점 말은 화려해지고 못 할 말이 없어졌다. 그게 순전히 내 탓인가?

또 하나님은 무거운 짐은 다 가져가고 우리를 버리지도 굶기지도 않는다고 믿으라 했다. 그래서 고난이 오고 가난에 허덕일 때는 원망도 했다. 사랑한다면서요? 늘 지켜준다면서요? 그렇게 사랑한다더니 왜 맨날 요모양이래요? 그러며 의심의 눈초리로 중얼거리기도 했다. 고난과 가난과 고독도 하나님이 주시는 거라고 진작 알려주었으면 원망 안 했을지도 모르잖아?

이 상황에 그래도 남은 소원은 내 자식들에게 이 사실을 알려줄 길은 없나? 하는 거다. 성경에 나오는 지옥에 간 죽은 부자가 자식에게 전하려고 했던 그 말, '나처럼 살다가는 나중에 혼난다! 제발 정신 차려라!' 했다던가? 내 자식들이라도 시행착오 안 했으면 좋겠다. 꿈속에서 그런 생각까지 했다.

그렇게 꿈속에서도 등에 식은땀이 주룩 흘렀다. 이제부터라도 남은 인생 정신 차리고 살 수 있을까? 자신이 없다. 그 근거는 내가 무슨 말하면 우리 아들이 딸에게 '아빠 말 너무 믿지마! 나중에 또 달라져!' 그러며 내 변덕을 흉보던데 그렇게 될 것 같아 서다.

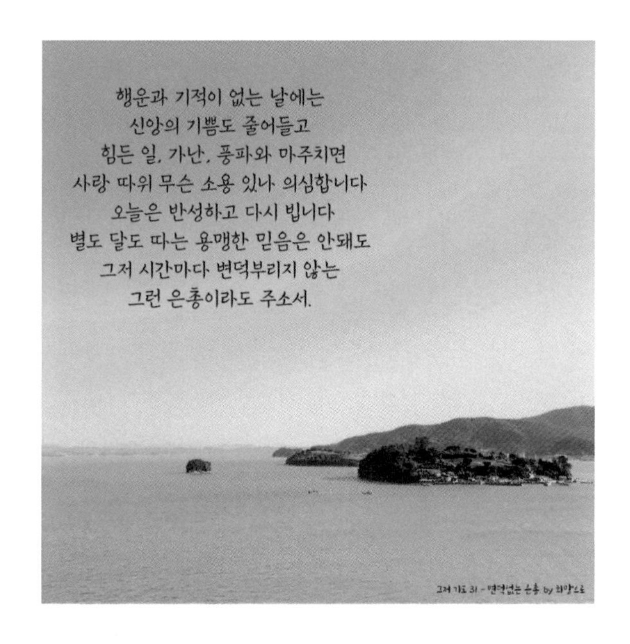
행운과 기적이 없는 날에는
신앙의 기쁨도 줄어들고
힘든 일, 가난, 풍파와 마주치면
사랑 따위 무슨 소용 있나 의심합니다
오늘은 반성하고 다시 빕니다
별도 달도 따는 용맹한 믿음은 안돼도
그저 시간마다 변덕부리지 않는
그런 은총이라도 주소서.
그저 기도 31 - 변덕없는 은총 by 희망으로

'하고 싶은 말 서른둘 - 어디에 핀들 꽃이 아닐까만'

사람 중에 자기가 태어난 시대, 태어난 장소, 태어난 가정이 마음에 드는 경우가 얼마나 될까? 막상 세상에 와보니 전쟁 중인 시대도 있고, 사막이나 밀림 속 어디일 수도 있다. 평화로운 시대에 선진국의 너그러운 부모에게 태어나면 얼마나 좋을까? 하지만 그게 맘대로 되는 것이 아니고 선택의 여지가 없으니 어쩌랴.

아무리 잘생기고 뛰어난 머리와 재능을 가져도 저 인적없는 고비 사막의 어느 마부의 자식으로 태어나면 정말 아깝기만 하지 빛을 못 볼 확률이 훨씬 높다. 차라리 무능하고 못생겨도 안전한 부자집에 태어나면 훨씬 잘될 거다. 물론 전쟁통에 난민 텐트에서 나지만 않아도 어디일까만. 이 말은 꼭 성공이 자기가 잘나서 되었다는 오만을 가져서는 안 된다는 뜻이다.

내 목숨 내 인생도 그렇게 출발은 나의 의지나 희망대로 되지 않는다. 그러면 우리가 세상을 떠날 때는 어느 정도 내가 원하는 모습으로 될까? 장소와 형편이 내 계획대로 마칠 수 있을까? 그거라도 되어야 적어도 내 인생의 절반이라도 내 것! 이라고 할수 있다. 그러나 그런 경우도 별로 많지 않다. 그러면 도대체 나의 생명 나의 인생은 누구 것일까? 태어나는 것도 죽음도 내 맘대로 안 된다면.

사람만 그런 게 아닌가 보다. 꽃씨는 바람이 부는 대로 날아다니다 바람이 멈추면 그곳이 어디든 내려앉는다. 다행히 물과 흙이 있으면 살아남고 아니면 그저 말라 죽어가야 한다. 민들레는 특히나 그런 꽃 중의 하나다. 바람이 운명을 결정하는 선택권 없는 생명.

그러나 민들레는 돌 틈이나 콘크리트 담벼락 주차장의 바닥 틈새 어디든 낙하한 곳에서 질기게 살아남아 싹을 틔우고 줄기를 올려 마침내 꽃을 피운다. 그리고 자기가 살아온 떠도는 운명을 그대로 물려준다. 또 다른 후손 민들레 홀씨에게.

사나운 출생과 파란만장한 삶을 살아가는 분들을 보면 자꾸만 민들레꽃이 생각난다. 어디 핀들 꽃이 아니냐! 하며 자신의 노란 꽃 하얀 꽃을 피우고 마침내 또 어딘가로 날아가 태어날 후손들을 바람에 실어 보내며 자녀들을 키워낸다. 끈질기고 눈물겹게 형편을 극복하며 퍼져가는 아름답고 뜨거운 생명이다.

조금만 추위가 닥치거나 먼지 쏟아지는 열악한 환경, 또는 조금만 가뭄이 길어지거나 거친 바람이 불면 죽어버리는 온실 화초 따위에게서는 기대할 수 없는 생존의 위대함이다. 사람이든 민들레든 그 징한 역경 극복의 모습 앞에서는 작은 존재지만 경건해지기도 한다.

살다 보면 좀 억울한 급류에 휩쓸렸다는 기분이 들 때가 있다. 보통의 경우보다 길게 가는 고생의 날이면 그렇다. '이랬더라면…' 혹은 '행운이 조금만 따랐더라면…' 하고 시간을 거슬러 올라가 출생의 가정법을 펴본다. 전혀 쓸모가 없는 소원과 원망의 상상들로.

들의 백합화를 보라! 공중 나는 작은 새들을 보라! 다 먹이고 입히고 지켜 보호하지 않냐는 하나님의 보증서 같은 당부에도 불구하고 좌절한다. 그런 원망의 쳇바퀴에 올라타는 심지가 약한 내 모습이 가끔은 안쓰럽기도 하다. 좀 우직하면 좋을 텐데… 조금만 더 믿고 느긋할 수 있으면 더 행복하게 살 텐데… 그 속에서도 감사를 찾아낸다면 기뻐하고 미소를 지을 수 있을 텐데!

주차장 콘크리트 틈에 핀
한 송이 노란민들레
어디 핀들 꽃이 아니냐고
담담히 웃네요.
바람 부는 대로 흔들리며 산
저도 귀한 생명이겠지요?
웃으며 살지는 못해도
그저 잘 견디기를 원합니다

'하고 싶은 말 서른셋 - 까먹지 말고 쫌'

많은 것을 잊어먹고 까먹고 또 까먹으며 산다. 주로 좋았던 일, 행복했던 날, 고마웠던 분들을 까먹는다. 정작 더 먼저 잊고 털어버려야 할 나쁜 일, 미운 사람, 불행은 행여 잊을까 꼭 붙잡고 힘주어 움켜쥔다. 어리석음은 인간이 타고난 본질이라고 누가 그럴 때 나는 웃었는데 살아갈수록 동의하게 된다.

그 해도 다른 해와 다름없이 아내와 긴긴 병원 생활을 지겹다며 원망을 꼭꼭 씹으며 지내고 있었다. 한 통의 119구급대 직원의 전화를 받기 전까지.

"선생님 자녀가 지금 구급차로 ㅇㅇ의료원 응급실로 가고 있습니다.

아직 의식이 없어서 연락드리니 오셔야겠습니다!"

운전을 어떻게 했는지 하나도 기억이 안났다. 청주에서 충주까지 지방도로가 고속으로 갈 수 없어 한 시간 반이나 걸린다. 머리는 온통 딸아이 생각뿐이라 기억도 안 나는 데 사고 없이 운전하고 간 게 지나고 보니 기적이었다.

이틀을 응급실에서 아이 곁에 지내고 새벽에 다행히 깨어난 아이를 데리고 외할아버지 집으로 갔다. 도저히 혼자 내버려 둘 수 없어 청주에는 머물 방도 없지만 그냥 병실에서 같이 지내더라도 데리고 가려고 했다. 그런데 아이가 간절히 말했다. 지금 친구들과 중학교를 졸업하고 싶다고…

그저 생명을 건지고 다시 회복한 것만도 고마워 아이 부탁을 들어주었다. 사실 이미 딸아이가 어릴 때 무사히 다섯 살만 넘으면 우리는 아이 양육을 위탁받은 사람의 입장으로 아이를 돌보겠다고 자주 기도 서원을 드렸다. 물론 아이 엄마와 의논한 게 아니라 아빠인 저 혼자 결정한 약속이었지만.

돌아보니 참 여러 슬픈 일 고단한 날이 있었지만 잘 넘기며 이제 성인이 된 딸이 고맙다. 아이 엄마가 희귀난치병이라는 전혀 계획에 없는 중증질병에 걸리기 전에 하나님께 잘 맡겼다. 불행이 닥치고 형편 어려워져서 그런 기도와 약속을 했다면 그건 순전히 발뺌이고 책임지지 않겠다는 뻔뻔한 핑계가 되어버렸을 거다. 다행히 그 이전이라 진심이라고 하나님이 인정하셨을 것 같다. 얼마나 다행인지.

그런데 그 고마운 하나님의 돌보심과 지켜주심을 세월이 흐르면서 까먹었다. '뭐 하나 잘되는 게 없네?' 그런 불평을 겁도 없이 염치도 없이 중얼거리기도 한다. 굳이 딸아이의 경우만이 아니라 많은 일들을 그렇게 싹 안면을 바꾸고 시침을 떼며 산다. 진짜 잊어먹고 기억이 없기도 하다.

은혜를 모르는 동물이나 사람이 나중에 몇 배로 불행을 만나는 이야기를 책이나 영화, 동화에서 본다. 남의 이야기는 당연히 벌 받는 거라고 동의하면서 정작 내 이야기는 무슨 배짱으로 변덕을 부리는지 모르겠다. 부디 내게 일어난 사랑과 기적들을 까먹지 말고 적금처럼 잘 보관하며 살아야겠다. 감사가 많은 인생이야말로 얼마나 복 받은 일 아닌가? 생각만 해도 흐뭇하고 기쁠 테니 말이다.

비가 쏟아지던 날
응급실 아이 곁에서 맞은 새벽
아이가 살아나 준 것만으로
모든 슬픔 사라졌습니다
그 감사의 기억을
다 까먹은 사람처럼 다시
새 행운과 새 기쁨을 더 구합니다
그저 그날의 기억을
잊지 않고 살게 해주세요!

그저 기도 33 - '살아내기' by 희망으로

‘하고 싶은 말 서른넷 - 함께 힘이 나는 말’

‘목사는 두 가지 직업을 가지면 안 됩니다! 오직 성직만 충실히 해야 합니다!’ 목사의 이중 직을 반대하시는 어느 목사님의 주장이다.

‘신문 배달을 해! 우유도 배달하고! 미자립교회는 없어, 미자립 목사만 있을 뿐이야!‘ 목사도 돈을 벌어 자립해야 한다며 아들 목사에게 한 말이다.

한국 개신교에 인지도가 높은 두 목사님이 내용으로는 이렇게 다른 의견을 내고 대립하는 것처럼 보인다. 어쩌면 깊은 의미에서 두 의견이 모두 교회와 교인을 깊이 사랑하고 지키려는 마음에서 나온 같은 뜻인지도 모른다.

그러나 세상은 그 두 가지 방법과 다른 주장을 말 그대로 앞세워 다툰다. 내가 좋아하고 친한 분들도 서로 의견이 달라서 편을 갈라 거의 감정싸움으로 치달린다. 나는 양쪽의 주장을 들으며 난처했다. 서로 내 말이 맞지? 하고 동의를 구하는데 난 어떻게 해야 할까?

어느 주장이 옳고 그르고를 떠나 세상 살기 참 어렵다. 다 아는 분들이고 서로 친한 경우는 더 그렇다. 종교 문제만 그런 게 아니다. 이 화제가 아닌 다른 상황에서 나는 또 다른 난감함을 경험했다. 내 가족이나 가까운 사람들조차 나를 보면서 쉽게 먼저 나오는 말이 이렇다.

’내 말 좀 들어봐!‘

’내 말이 맞다니까!‘

’나 너무 화가 나! 지가 뭘 잘 났다고‘

‘나 이거 꼭 성공해야 하는데…’

‘나 힘들어’

모두 자기 형편, 자기감정, 자기주장을 쏟아놓기 바쁘다. 듣는 상대가 어떤 처지에 있고 지금 감정은 어떤 상태인지는 아예 염두에도 없다. 적당히 들어주고 맞장구 해주지 않으면 나까지 적이라고 삐져서 더 큰 문제가 생기기도 한다. 안 보고 살 수 없는 가족이거나 직장 교회 구성원일 경우 그렇게 되면 난처해진다. 세상 살기 참 어렵다.

‘잘 지내지? 아픈 데 없지?’

'혹시 내가 도와줄 일은 없어?'

'얼굴이 어두워 보이네? 무슨 일 있어?'

'이거 나 별로 안 필요한데 혹시 쓸 일 있으면 가져!'

'오늘 날씨 참 좋지? 행복해지네~'

이런 말 이런 마음 씀씀이로 나에게 와주는 사람이 별로 없다. 아주 작아서 열 손가락으로 꼽을 정도? 이렇게 상대를 위해 먼저 안부를 묻고 평안을 나누어주는 사람이 내 곁에 많으면 얼마나 좋을까?

'하나님, 알지요? 나 이번에는 이거 꼭 들어줘야 해요!'

'누구누구가 미워 죽겠어요! 좀 치워주던지 싹 바꾸어주세요! 제발!'

'나 필요한 거 이거 좀 주세요!'

'내 딸 시험 보는 데 한 번에 합격 꼭 시켜주세요!

내 아들은 이번에 승진해야 합니다. 해주실 거지요?

그래야 남들이 예수 믿고 복 받는 줄 알겠지요?'

하나님께 내미는 주문목록이 갈수록 줄어드는 게 아니라 날이 갈수록 늘어난다. 오래된 신앙 연륜일수록 더 많아지고 더 구체적이다. 마치 맡겨 놓은 거 찾으러 온 사람처럼 당당하다! 초신자는 오히려 겸손하고 미안하고 죄인 같아서 움츠리는 데 비하면 그런 단계 다 지났다! 하듯 습관이 되었다. 누가 그러냐고? 내가.

기도라고 입만 열면 쌓인 주문서가 쏟아진다. 안 그러겠다고 가끔 반성하고 생각하여도 막상 닥치면 바로 나온다. 몸이 아프거나 뭐가 필요하면. 또 자녀들이 뭔가 중요한 일을 앞두면 안 하기가 더 힘든다. 마법의 램프대신 두 손 모아 비비고 말로 하는 주문을 외운다.

어떻게 하면 세상 속에서 만나는 사람들과 함께 힘이 나는 말을 주고받을 수 있을까? 상대의 안부와 필요를 먼저 살펴보고 대화를 시작할 수 있을까? 어떤 주장이든지 동의하거나 혹 다를지라도 의도까지 의심하지 않는 기쁜 관계로 지낼 수 있을까? 그런 사람이 많아지면 얼마나 좋을까?

하나님과도 주고받는 대화와 기도가 서로 힘이 났으면 좋겠다. 나를 위한 주문서만 늘어놓는 사이는 끝이 안 좋을 거다. 아무리 내 소원이 많이 이루어져도 안 이루어지는 것들이 남을 거니까. 그걸로 내가 실망하면 들어 주다 지친 하나님도 답이 안 나올 거다. 밑 빠진 독을 채우는 건 사람이나 하나님이나 피차 비슷하니까. 그 사례를 40년동안 광야를 지나간 이스라엘 백성들에게서 볼 수 있다. 다른 점이 있다면 때려치우는 시간만 다를 뿐.

나는 종종 피곤해지면 입을 다문다. 사람에게나 하나님에게나. 그러나 침묵이 가끔은 해결책이 되지만 임시방편이다. 사람도 하나님도 내가 계속 침묵하면 마침내는 내게 등을 돌리고 절교를 할 테니.

모두에게 힘이 나는 말과 마음을 주시기를 빌면서 지혜를 구한다. 어쩌면 그래서 하나님께로 무릎걸음으로 더 다가가야 하는지 모른다. 말하고 안 지키고, 말대로 못사는 나를 알기에 나를 기다려주실 하나님의 자비와 은혜가 계속 필요하니까. 병든 자에게 의사가 필요한 이유와 같다.

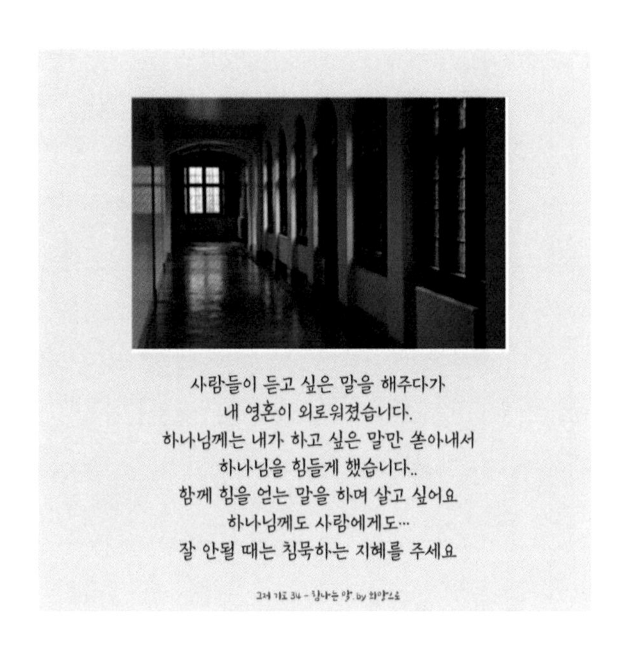

'하고 싶은 말 서른다섯 - 기쁨과 슬픔도 감사'

날이 맑으면 반갑고 기분이 좋아진다. 하지만 언제나 모두가 그렇지는 않다는 걸 몰랐다. 사막의 조난자가 타는 목마름과 강한 햇빛에 죽기 살기로 길을 찾아 헤매는 장면을 영화에서 보며 알았다. 흐린 하늘과 쏟아지는 빗줄기를 꿈처럼 상상하며 마음 졸인 간접 경험을 하고 나니 그랬다.

멀리 떨어진 유럽의 겨울, 짧은 햇살이 잠시만 나와도 잔디밭에 앉고 누워 햇빛을 받는 사람을 보았다. 스산한 오후 허리에 두른 스웨터를 풀어 제치고 일광욕하는 그들의 모습에서 흐린 영국의 하늘이 자연스럽게 떠올랐다. 누구는 수시로 내리는 비가 지겨워 우산을 종일 들고 다니는데 누구는 구름이 가린 그늘 한 조각과 흐린 하늘이 간절하고 그 비가 목을 축일 생명의 선물이라고 환영받다니.

그러나 특수한 지역의 특별한 상황을 제외한다면 대부분 사람은 맑은 하늘과 햇살을 당연히 좋아한다. 특별히 더 목을 빼고 하늘을 바라보며 기다리는 사람들은 그 이전에 긴 시간을 흐린 날과 비속에 지냈기 때문이다 흔하게 늘 맑은 날과 푸른 하늘을 보며 사는 사람들에게는 그렇게 절실하지 않을 수도 있는 경우와 달리 말이다.

자연현상을 따른 사람들의 행복한 대응은 자연스럽다. 비슷한 이치가 사람들의 삶에서도 나타난다. 오랜 가난에 고생했거나 갇힌 일상을 산 이들은 그 사정이 해결되고 그냥 보통 사람 수준으로만 풀려도 하루하루가 너무 행복하고 감동으로 살게 된다. 그것은 이전의 힘들게 산 고생과 비교되기 때문이다. 갑절로, 어쩌면 더 이상 소원을 빌지 않아도 되니까.

끝없이 더 맛있는 것을 요구하며 음식 투정을 하는 사람에게는 더 맛있는 음식을 준비하는 것보다 몇 끼를 굶기는 것이 더 빠르고 확실한 처방이 될 수 있는 것도 그런 이유다. 밥투정하는 어린이나 삶 투정하는 어른이나 비슷하다. 끝없는 재산과 풍요한 환경과 선물로 계속 기쁘게 하는 것은 불가능한 해결책이고 그러다 점점 만성이 되어 무감각해지면 더 큰 권태로움과 허허로움에 빠져 죽음에 이를지도 모른다.

더 가지는 것으로는 얻지 못하는 평안과 기쁨이 더 덜어내고 비움으로 오히려 해답을 얻을 수 있다. 많은 수도자가 오랜 세월을 무소유와 비움, 고요함으로 정진하여 평안을 얻으려고 한 것은 우연도 아니고 어리석은 논리나 도박은 더더욱 아니다. 지금 세상에서도 여전한 이 길은 많은 이들에게 필요하다. 흐리고 불편한 고생은 우리가 가지고도 누리지 못한 최소한의 소유와 생명의 선물들을 고맙게 깨닫는 길이다.

'하고 싶은 말 서른여섯 - '남의 유익까지 구하는 거 힘들다'

내가 원한다고 다 얻어지나? 모질게 결심한다고 제대로 지켜지나? 살 빼고 담배 끊고 야식 안 먹고 그런 사소한 것부터 해마다 돌아오는 결혼 기념일마다 여행 데려갈게! 결혼 전 큰소리친 남정네들의 헛소리까지, 참 안되는 게 솔직한 고백이다.

하물며 남의 유익까지 챙겨주거나 그것도 나보다 먼저 신경 써준다는 건 더 그렇다. 무슨 대단한 수도원 훈련을 거쳤거나 태어날 때부터 신기한 성품을 타고난 게 아닌 보통 사람에게는 기대하는 게 더 이상하다.

종교적 감상에 취하고 진짜로 그렇게 살다 가신 그리스도의 행적을 읽고 묵상하고 기도하다가 그만 입에 올리고 말았다. 책임은 고사하고 작심삼일로 못할 게 뻔하면서도 그것도 한 번 어기고 안 하면 다행인데

두 번, 세 번, 비슷한 분위기에 빠져서 누군가 바람을 넣으면 또 반복해서 각오한다.

하늘에 계신 분이 이 어처구니없는 실언과 반복되는 배반을 기뻐하실까? '안 믿을란다! 그만 해라!' 그러실까? 알 수가 없다. 알면 계속 그러고 살겠어? 무슨 배짱으로.

아픈 아내를 십오 년 가까이 돌보다가 종종 이 터무니없는 서원을 드리곤 했다. '내 자유와 내 소원보다 아내를 먼저 챙길게요! 내가 좀 포기하고 내가 져주고 아내가 속상하지 않게 잘 돌볼게요!' 그런 각오를 담은 기도를 했다.

그런데 잘하다가도 주기적으로 지치면 삐긋했다. 아주 작은 서운함과 손해도 억울해서 화가 올라왔다. 내가 얼마나 양보하고 애쓰는데… 왜 그러는 거지? 이런 서운함이 나를 흔들고 기어이 약속을 파기했다. '나 더는 못해! 안 할 거야! 도망가고 싶어…' 라고.

한 번 어기면 다시는 약속을 안 하면 되는데 이게 잘 안된다. 그러니 문제가 반복된다. 이유는 다양하다. 아내가 딱해서, 내가 이러면 벌 받지, 애들이 얼마나 욕하겠어? 여지껏 돕던 분들이 실망할 텐데… 하며.

자기의 삶을 미루고 누군가를 먼저 돌보는 그런 일상을 사시는 분들도 세상에 분명히 있다. 다른 분들도 그럴까 가끔 궁금하기도 하다. 어떻게 그런 생활을 수년 수십 년 죽을 때까지 계속 이어가셨을까 존경과 함께 부럽기도 하다. 그 대상이 가족일 때도 있고 남일 때도 있다. 구분하지 않고 사시는 분들은 더욱 궁금하다.

내가 어떤 각오를 하거나 말거나

의무처럼 당연히 주어진 상황이기 때문이다. 그래도 기왕이면 마지못해서가 아니라 자발적으로 먼저 마음의 각오를 세우고 지켜가고 싶다. 안 그럼 둘 다 피차 비참할 게 뻔하기 때문이다.

'하고 싶은 말 서른일곱 - 스토킹을 당해도 감사할 수 있나?'

혹시… 스토킹을 당해 본 적 있나요? 내가 어디를 가든지 따라다니며 지켜보고 잠시도 눈을 떼지 않는 누군가가 있다면? 낮에만이 아니라 밤을 꼬박 새우며 그러고 휴일이고 공휴일이고 가리지 않는다면? 심지어 명절도 에누리 없이 거르지 않고 지켜본다면 아마도 상대가 나를 정말 좋아한다고 말해도 지겹고 무섭고 끔찍할 거다.

우주 망원경보다 더 좋은 성능의 자세한 렌즈로 내가 무슨 행동을 해도 전부 알고 있고 초정밀 도청기로 아주 작은 소리로 하는 말과 뒤돌아서서 중얼거리는 말도 놓치지 않고 심지어 속으로 하는 말도 다 안다면 어떨까? 마치 24시간 카메라로 찍고 있는 유리방에 갇혀서 사는 기분일 거다. 숨 쉬는 것까지 숨길 수 없는 느낌이고.

'나 좀 냅두면 안 돼요? 숨 막혀 못 살겠어요!'

이딴 말은 애당초 들은 척도 않는다. 문제는 그게 하루 이틀에 그치는 것이 아니고 내가 스토킹을 당한다는 걸 안 후에는 물론이고 내가 알기도 전인 태어난 날부터 시작되었고 앞으로도 내가 죽을 때까지도 계속한다는 거다. '세상에… 지독하다. 잘못 걸린 걸까?'

그런데 정말 난감한 문제는 따로 있다. 이렇게 지독한 스토킹을 당하는데도 딱히 고발하거나 비난하기가 어렵다. 스토킹하면서 힘으로 강제로 행사하는 법이 없고 무엇을 하든지 지켜만 본다는 거다. 그저 쉴 새 없이 이런저런 글과 사람을 통해서 마음을 불편하게 찌르고 무겁게 한다. 더 애매한 것은 때때로 감시자와 동행자의 역할을 동시에 하기도 하니 구분을 할 수 없다. 어려움에 빠져 두려울 때는 나를 스토킹 중인 그분이 곁에서 지켜보고 있다는 사실이 위로되고 맘이 놓이니 유익인지 불이익인지 참 애매하다는 것이다.

가끔은 지나고 나서 다행이다 싶은 적도 있다. 이 무시무시한 스토킹이 때로는 범죄의 유혹과 욕망을 스스로 그만두게 하는 억제기능을 한다. 그러니 무사히 지나고 나면 때론 고맙기조차 하다.

이 애매하고 애증의 대상이신 스토커는 나를 향해 늘 말한다. '너를 사랑한다! 니가 알아주거나 몰라줄 때도 변함없이!' 믿음 생활 시작한 지 40년 지나도 아직도 안 익숙한 이 스토킹이 날이 갈수록 조금씩 아주 천천히 한쪽으로 기우는 것 같다. 비록 불편한 스토킹을 당하며 살지만… 감사하다는 쪽으로! 심지어 안식일에는 조금 더 편하게 감사의 마음이 들기도 한다!.

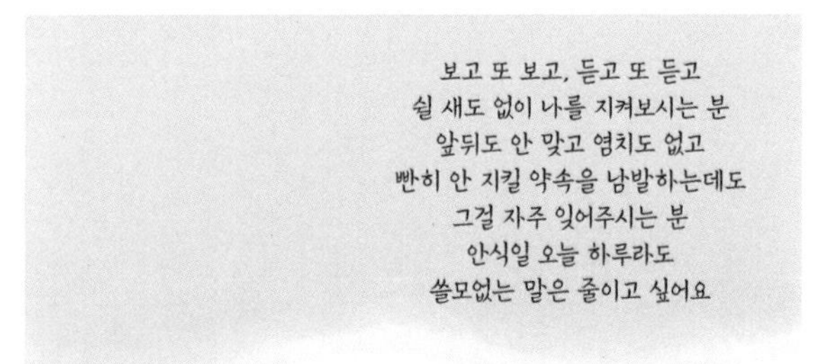

'하고 싶은 말 서른여덟 - 설마…나를 잊지는 않으셨지요?'

"사는 게 왜 이리 힘드냐?"

"뭐가 그리 힘들어?"

"먹고 살 돈 벌어야지, 나이 드니 여기저기 몸 아프지, 친구들 하나둘 떠나니 두렵고 슬프지…"

"그랬구나…"

"게다가 맘 안 맞아 자주 티격거리지 사람 보기 싫은 거도 참기 힘들고"

"그거 다 해결할 방법 있기는 한데…"

"정말? 그런 방법이 있어? 뭔데? 돈이 무지 들어가는 거 아냐?"

"아니! 돈 하나도 안 들어"

"그렇게 좋은 방법 있으면 진작 알려주지!"

"잠시 아픈 대가를 치르기는 해야지"

"그까짓 잠시 아픈 거 대수야! 다 해결된다면!"

"정말 알려줘?"

"그럼! 나 좀 편히 살아 보자고"

"절대 내가 가르쳐 주었다고 말하면 안 돼!"

"왜?"

"니네 가족들이 나를 무지 욕할 수 있어, 어쩌면 멱살을 잡고 때리거나 고발할 수도 있어서…"

"음… 그 좋은 방법을 알려주는데 왜 그러지?"

"그러게, 나도 이해가 안 돼! 소원을 들어주는데"

"알았어! 절대 니가 알려줬다고 말 안 할게!"

"그럼… 알려줄게!"

"뭐야? 어디를 가야하는 거야?"

"아니, 가까운 아파트로 가서 옥상에 올라가"

"옥상에? 거기 뭐가 있는데?"

"아무것도 없어! 그냥 거기서 뛰어내리면 끝!"

"그럼… 죽잖아? 그게 뭐야?"

"당연히 죽지, 잠시 아플 수는 있다고 했잖아. 실패 안 하려면 높은 아파트로 가야 해!"

"그게… 해결책이라고?"

"그럼! 춥지도 덥지도 않고, 배도 안 고프지, 암 걸릴 일 없지, 이별로 슬플 일도 없지! 또 따라와서 속 썩일 마누라도 자식도 친구도 없지!"

"에이, 싱거운 사람! 난 또 무슨 수가 있다고! 말은 맞지만 그게 무슨 해결이야? 도망이지!"

천국, 천국 노래 부르며 거기 가는 게 소원이라는 기독교 신자도 죽을 고생 마주치면 살려달라고 빈다. 그렇게 학수고대 소원하던 천국 가기 직전에. 그러고 보면 죽음은 천국보다 무섭고 힘이 센가 보다. 꽤 센 고난 고생도 죽지 못하고 참고 견딘다. 몸을 던지는 몇 명만 빼고 대다수가 그래도 사는 쪽을 간다. 온갖 걱정 끝! 고생 끝! 해결책이 눈앞에 있어도. 그건 귀한 생명을 주고 바꾸는 전리품이 죽음이고, 그렇게 얻는 평안은 공동묘지의 평안임을 아는 거다. 산 생명이 받고 감사하고 행복할 선물은 아니라고.

간혹 죽음까지는 아니더라도 비슷한 선택을 하는 안타깝고 미련한 사람들이 주변에 있다. 손에 넣고 싶은 대상을 위해 수단과 방법을 가리지 않고 때로는 가까운 이들을 배신하고 상처를 안겨주면서 자신의 양심과 기쁨과(쾌락은 기쁨이 아니다) 평안을 악마에게 영원히 팔아치운다. 밑지는 장사인데도.

구덩이에 빠졌을 때는 하늘을 보고 희망을 품어야 한다. 그래야 방법도 떠오르고 구조의 목소리도 낼 수 있다. 구덩이의 바닥만 보면 벗어날 길보다 막막함만 보인다. 조급하고 비관적인 감정은 유혹에 약하다. 유혹은 본래 선하지 않고 끝이 좋지 않다. 평상시에는 모두가 아는 그 진실도 급하면 잊는다. 우리를 늘 조급하지 않고 너무 쉽게 두려움에 빠지지 않게 밤낮없이 지켜주실 분에게 단단히 부탁해본다. '설마…나를 잊지 않으셨지요?'

‘하고 싶은 말 서른아홉 - 엄마와 달고나’

엄마는 동네 공터 한쪽 구석에 큰 우산 같은 파라솔을 펴고, 그 기둥을 아래에 놓인 사과 궤짝 나무 상자에 묶었다. 그리고 무거운 돌을 두어 개 바닥에 둘러놓아 파라솔을 넘어지지 않게 고정했다. 그리고 쪼그리고 앉아 달고나 주걱을 작은 연탄 화로에서 녹여 사과 궤짝 나무 상자 위에 놓인 도마 같은 평평한 곳에 탁! 쏟았다. 그리고 철판 틀을 그 위에 놓고 호떡 뒤집개처럼 생긴 것으로 살짝 눌렀다. 그러면 설탕과 소다가 섞여 부풀어진 동그란 달고나 판에 별이나 동물 모양 과자가 만들어졌다. 동네 아이들이 그 달고나에 새겨진 모양대로 부서지지 않고 떼어내면 하나를 더 해주었다.

온 세계를 떠들썩하게 히트 친 드라마 '오징어게임'에 나오는 달고나는 나에게 아주 오래전 어릴 때 엄마가 좌판 장사를 하던 시절로 돌아가 이제야 마음 아프게 하는 기억으로 다가왔다. 정작 그 시절에는 나는 너무 어렸고 우리 집 생존을 해결하던 엄마가 그저 고마웠다. 그 동네 공터에 놀던 코흘리개들의 때 묻은 돈을 벌어 오는 가장이 된 엄마는 아버지의 대책 없는 서울 상경 후폭풍으로 온 지독한 가난을 몸으로 버텨야 했다. 외갓집 수출공장의 공장장으로 꿈에 부풀어 시골집을 당시 세 들어 살던 사람에게 차비 정도 받고 넘겼다. 그렇게 왔는데 공장은 어려움에 부딪혀 아버지는 실직자가 되고 돌아갈 집도 없어진 불행의 시절이었다.

가난은 무시무시하고 지긋지긋했다. 그런데도 엄마는 여리고 호리한 몸에도 그렇게 가족 생존의 일선에 나섰다. 꼬인 결과로 분노만 쌓인 아버지는 아무것도 못 하고 어린아이들은 넷이나 되어 밥때면 배가 고픈 채 엄마만 바라보았다. 아침이면 동네 공터 구석에 파라솔과 장비들을 옮겨 설치를 도와주고 해가 지는 저녁이면 가서 철수를 돕는 게 고작이었다. 내 나이가 겨우 14살. 그 아래로 두,세 살 터울로 동생이 둘이나 있었고 가장 어린 막내는 두 살인가? 세 살인가? 그랬다. 아무도 뭘 할 수 있는 나이가 아니었다.

그때부터 나의 서울 생존 전쟁 참여는 시작되었다. 아침이면 도시락을 싸서 버스비를 아끼느라 1시간이 넘게 추운 길을 걸어 요꼬기계라고 불리는 스웨터를 짜는 기계를 두어대 가진 가정집 공장에 출근했다. 종일 실을 연결해 열심히 배우며 좌우로 기계를 흔들며 스웨터를 짰다.

그렇게 적은 돈을 받으며 지내다 도저히 돈벌이가 안 되어 아는 분 소개로 남대문 시장 문구도매점에 점원으로 가게 되었다. 손을 입김으로 불어 녹여야 할 정도로 추운 겨울 어느 날 처음 간 남대문 시장 안에 있는 문구도매점은 종일 사람이 들락거리고 지방 소매점들로 보낼 물건을 포장하느라 바빴다. 계산서에 적힌 물건을 차곡차곡 찾아 보따리에 묶는 걸 돕다가 밤늦어 끝나 저녁을 먹고 잠자리라고 먼저 있던 고참을 따라간 곳은 목조창고 이층 마루바닥이었다. 그곳에서 나의 하루는 새벽부터 밤까지 정신이 없었다.

그렇게 시작된 서울 생존 전쟁에서 나는 가난이나 처지를 비관할 정신도 없었다. 너무 바쁘고 너무 고단해서 밥 먹고 좀 쉴 시간이 소원이었고 한 달에 하루 쉬는 날이 꿈같기만 했다. 신세타령도 좀 형편이 여유가 있고 가족 생계를 짊어지지 않은 팔자 좋은 사람이나 하는 거지 하루 앞 먹거리와 월세 벌기도 급급한 사람들에게는 사치였다.

월급은 받는 대로 전부 가족에게 보내고 가끔 생기는 용돈이나 심지어는 가게에 와서 물건 사는 사람에게 더 올린 비싼 값을 받는 바가지나 거스름돈을 적게 주고 생기는 소위 '챙긴 삥땅' 같은 걸로 버텨야 했다. 같이 생활하는 너댓 명의 점원들이 다 비슷비슷하게 그렇게 산다며 고참이 가르쳐주는 대로 배워 따라 했다. 당시는 다 그런 줄 알았고 달리

생활할 방법도 없었다.

그 후로 청년기를 보내고 온갖 일을 다 하며 그래도 미련이 남은 공부를 한다고 허리띠를 졸라매면서도 검정고시 학원을 다녔다. 새벽부터 밤늦도록 신문 배달을 하며 지내면서도 심각할 정도로 가난한 형편이나 그렇게 몰린 처지를 한탄하지는 않았다. 그런데 어느 날 너무 얽힌 실타래가 완전히 꼬여버려 시험계획이 빗나가고 좌절해서 자살을 시도한 이후, 가난과 죽음이 내내 후유증처럼 그늘이 되어 나를 따라다녔다.

나이가 더 들어 죽을 때까지도 가난은 벗어나지 못할 거라는 비관적인 짐작이 자리를 잡았고 그 무거운 감정은 결혼하지 않고 독신자로 살아야겠다는 각오를 꼭꼭 다지게 했다. 가장으로 살 자신이 없었다. 아내와 자녀들이 생기면 평생 무사히 먹여 살린다는 막중한 책임이 도무지 감당할 자신이 없었기에.

도무지 마음먹고 계획한 대로 풀리지 않는 인생은 독신으로 살고 결혼 안 해야지 하는 그것조차 빗나가게 했다. 어쩌다 보니 결혼해 있었고 어느 날 보니 아이들이 둘이 되고 셋이 되었는데 가난에 대한 지겨운 그늘은 계속 따라붙고 있었고 죽음에 대한 두려움과 공포는 점점 내 속의 질긴 아카시나무 뿌리처럼 자리를 잡고 자라고 있었다. 신앙인이라는 방패와 도피처를 가지고도 벗어나기 힘든 이유는 순전히 나약한 믿음의 수준 때문이거나 얄팍한 행운을 기다리는 욕심? 뭐 그런 속물 정신을 못 벗어나기 때문이었을 거다.

'가난은 주어지면 안고 가고, 죽음은 그저 통과할 문일뿐…'

그런데… 그렇게 수십 년, 반백 년에 가까운 묵은 가난과 죽음의 족쇄는 어이없게도 더 심한 불행의 터널로 들어서면서 벗어나기 시작하고 극복할 용기가 생기는 거짓말 같은 체험을 하게 되었다. 보통 약으로는 고치지 못하는 심한 질병에 사용하는 약 처방법이 비상이라는 독이라더니… 독으로 독을 제거하는 비결 같은 게 진짜 효력이 있었나 보다. 질기고 지겨운 가난이 사랑하는 가족이 죽게 될 지경 앞에서는 시시해졌다. 더 큰 고민과 싸울 대상 앞에서는 피래미가 되었고 관심 순위가 밀려나는 느낌이었다. 죽음에 대한 공포 두려움도 한편 차라리 빨리 죽으면 좋지! 라는 극한 소원을 가질 정도가 되니 무기력해지는 것 같았다. 죽음의 입구가 이전과 같은 큰 아귀를 벌린 컴컴한 동굴이 아니고 고난을 끝내고 다른 세상으로 넘어가는 문턱처럼 느껴졌다.

하나님은 무슨 스케줄을 가지고 우리를 이끌고 계실까? 늘 궁금했던 하나님을 향한 질문이 점점 오래된 집의 바랜 벽지 색처럼 흐려지더니 가끔은 궁금하지도 않게 되었다. 알아서 하시겠지 뭐! 지금보다 더 나쁜 곳으로 데려가시기야 하겠어? 그런 마음도 들었다. 간이 부어서 그런 건 아니고 좀 믿는 구석도 생기기 시작한 것 같다. 무슨 정리된 공부로 그런 게 아니라 생존 일상의 작고 큰 경험들이 만들어낸 막연한 신뢰 같다. 설명 못 하면 어떠랴! 어차피 생각한 대로 진행되지도 않고 그 생각, 소원이라는 것도 제대로 맞는지 모르는 판에 뭔들 대수일까? 내 결론대로 해달라고 주장하기도 자신 없으니!

그 이후 새로 생기는 버릇? 태도 중에 이런 것도 있다. 그냥 내 기도보다 하나님이나 예수님이 먼저 말해주세요! 제가 들을게요. 그게 시행착오 줄이고 빠른 길이니 그렇게 하시지요? 그런 맘으로. 예수님이 40일 동안 광야에서 금식기도 하실 때도 그랬다는 기억이 난다. 역시 예수님은 그 정곡을 알고 계셨나 보다. '아버지! 말씀하소서. 제가 듣고 따르겠어요!' 하셨으니… 모방은 창조의 어머니라고 했던가? 예수님을 흉내라도 내면 혹시 그 보석 같은 진리가 슬쩍 모습을 보여줄지도 모른다

가난은 저주가 아니고
죽음은 이겨야할 대상이 아니지요?
주어지면 안고 가고 통과할 문일뿐…
그런데도 제 기도는 시작과 달리
끝에만 가면 요란해집니다
그래서 오늘은 "말씀하소서!" 라던
예수님의 40일 금식기도를 따릅니다
그저기도 39 - 듣는 기도 by 희망소

'하고 싶은 말 마흔 - 맘씨 좋은 전당포 주인아저씨?'

사방이 온통 감당 안 되는 것들뿐이었다. 사실은 아주 오래전부터 그랬지만 혼자 몸일 때는 그런대로 속에 담고 표시 내지 않고 살 수 있었다. 울적하면 아무도 아는 사람이 없는 좀 낯선 거리로 가서 그냥 마냥 걷다 보면 다리도 아프고 배도 고프고 내가 왜 걷기 시작했지? 시작할 때의 이유도 감정도 다 잊고 얼른 방에 돌아가서 밥먹고 쉬고 싶어졌다.

어쩌면 그렇게 나의 울적함이란 시시하고 별 대단하지도 않은 수준이라 가능했는지도 모른다. 때론 현실적이고 구체적인 고민이나 걱정으로 감당이 안 되기도 했다. 일을 못 하고 한 달이 넘어가고

마땅히 갈 직장이 나타나지도 않으면 월세가 밀렸다. 그건 내 감정만 다스려서 될 문제가 아니었다. 방문을 열고 나가면 주인 할머니가 나타

났고 대문을 열고 들어오다 삐이걱~ 소리가 나면 또 주인 할머니가 방문을 열고 내다보시며 '이제 오나? 밥은 먹었나?' 그렇게 말을 걸어왔다. 돈 달라는 말을 안 해도 압박이 되고 독촉처럼 느껴졌다. 그런 문제는 뭔가 해결책을 빨리 찾아야 했다. 같이 사용하는 화장실과 마당의 수도도 눈치 보며 겹치는 시간을 피하고 밤늦게나 이른 아침 사용해야 했다. 젊은 나이의 그 시대는 오랫동안 그런 상황이 계속되었다.

자다가 새벽에 잠이라도 깨고 서늘한 방구석의 어둠을 누운 채 살펴보다 보면 많은 것들이 감당 안 되기도 했다. 그래도 혼자 몸이니 어찌어찌 넘기다 보면 신나는 날도 있고, 좋아하는 음반을 사거나 여행하고 오면 좀 살 것 같았다. 하지만 가정이라는 나의 왕국이 생기고 내가 왕이 되어 돌보아야 할 백성이 있고부터는 좀 더 큰 고민이 되었다.

생존 대책, 자녀들 교육 문제, 왕궁 수리, 보건 대책 등 한두 가지 문제가 아니었고 해결이 쉽지도 않았다. 어느 때는 내가 부지런히 일하고 나 하나만 고단하게 참으면 순탄하게 흐르고 모두가 잘 지내는 것 같아 흐뭇하기도 했다. 하지만 쉴 새 없는 파도처럼 몰려오는 잡다하거나 큰 문제는 종종 나를 깨워 다시 쉽게 잠들지 못하게 했다.

그러다 보니 만성 염려증이 생기고 그런 나를 파악한 나의 백성들은 나를 걱정 맨, 사서 하는 고생 취미라 불렀다. 기쁜 일이 생겨도 이어 닥칠 안 좋을 일이 염려되었다. 아직 무슨 일이 올지도 모르는데도 하는 막연한 걱정이었다.

내가 가장 부러워하는 사람은 늘 태평인 사람이었다. 어디든 머리만 기대면 코를 골 정도로 잠이 들고 내일 산수갑산 가도 오늘 밥을 배부르게 먹는 사람, 사상체질로는 태양인, 기질 분석으로는 장형 인간, 뭐 그런 타입의 사람들이 정말 부러웠다. 난 소음인에 혈액형도 지랄변덕 AB형, 나쁜 건 다 포함된다.

더러는 타고나지 않아도 그렇게 사는 사람이 있다. 믿음으로 산다는 화평한 얼굴의 기독교 신앙인, 장로 권사님! 나도 교회를 한참 다니면 당연히 그렇게 되는 줄 알았다. 햇수가 쌓이면 자동으로 오는 평안이고 느긋함일 줄. 그런데 아니었다. 머리는 쌓이는데 가슴속은 비어 있었다.

기쁨도 감당이 안 되고
슬픔도 감당이 안 되고
믿음도 감당이 안 되고…

나는 안팎으로 난감한 왕이 되어 가고 있었다. 백성은 나를 바라보고 철석 살아가고 있는데 일년 뒤는 고사하고 내일 보장도 하기 힘든 왕인 줄 모르고. 그래도 권위가 무너지면 자존심 상하고 수습이 안 될 테니 위엄과 큰소리는 계속 치면서 무슨 수를 찾아야 했다. 왕국이 무너지면 백성만 망하는 게 아니라 왕궁터도 무너지고 지난 공든 탑도 무너지고 나도 망할 테니 우야든지 하루하루라도 끌고 나가야 할 상황이었다.

근심의 그늘과 돌덩이 같은 걱정은 남모르게 속에 감추고 앞으로 전진! 오늘도 승리했다! 감사! 를 외쳐야 했다. 두 바퀴 자전거는 멈추는 순간 넘어지고 무너지는 법이니 계속 속도를 유지하고 달려야 한다고 자신에게 다그치며.

하지만 그 한계가 다가왔다. 지치는 게 물리학 자연계 법칙! 그래서 백성들 모르게 혼자 궁에서 빠져나와 그분을 찾았다. 이러다가는 내 목숨뿐 아니라 내 사랑 백성들까지 망할 테니 부디 우리 모두를 안전하게 좀 지켜달라고 부탁했다. 왕의 자격도 체면도 다 내려놓고 마지막으로 내 목숨도 내놓았다. 이거 담보로 잡으시고… 우리 작은 왕국을 좀 살려주소서! 내 목숨이 값어치가 있을까? 속으로 셈을 따지며 조바심 내는데 그분이 말했다. 아주 짧고 확실하게!

'오케이! 내가 이 담보를 받고 책임지도록 하지!'

그렇게 전당포 아저씨 하나님은 흔쾌히 거래를 선포했다. 친절하고 자비하신 전당포 아저씨는 내 목숨값을 비싸게 쳤다. 하긴, 그게 누가 준 건지 그분은 아시니 그럴만했다. 우주보다 비싸고 천사 몇을 합쳐도 안 바꿀 목숨이니! 어둡고 긴 터널을 마치고 편하게 잘 수 있는 복을 받았으면 좋겠다.

새벽 고요 속에 잠 깨어
살포시 속을 꺼내어 놓고 바라봅니다.
기쁨도 감당 못하고
슬픔도 감당 못하고
믿음도 감당 못하고
내 마음대로 안 되는 사랑, 삶, 생명
이대로는 도저히 저기까지 못갈 것 같아
손잡아주시길 바라며 목숨을 맡깁니다
그저 기도 40 - 목숨 맡기기. by 희망으로

'하고 싶은 말 마흔하나 - 오늘도 우리 만남은 일방적 확인'

십년 전 이 시간에 나는 어디에 있었을까? 기억이 나지 않는다. 들 비슷할까? 일기장이나 사진 폴더의 날짜를 찾아 뒤적이면 아마 어렴풋이 어디에 있었는지, 무엇을 했는지 대충은 짐작할 수 있을 거다. 못할 수도 있고.

장소조차 그럴진대 그날 그 순간, 내가 무슨 마음으로 무슨 말을 했는지는 더 모를 거다. 그런 걸 추정하면 무수히 많은 실언을 하며 살았고 무수히 많은 영혼 없는 값싼 마음들을 뿌리고 다닌 거다.

솔직히 고백하자면, 오늘날 지금 내가 하는 말, 지금 내가 건네는 따뜻하다는 사랑의 눈빛도 어쩌면 지키지 못하거나, 쉬 까먹을 가벼운 것일지도 모른다는 살짝 민망한 예상이 든다.

십년 후 나는 오늘 나의 말과 마음이 사라지고 아침 강가의 물안개처럼 흔적도 없을지 모른다.

뭐 강가에 피는 아침 물안개야 멋지고 볼만 하니, 그걸로 순간이라도 기분 좋으면 되는 거 아니냐? 그럴 수도 있겠다. 너무 따지지 말라고 할 수도 있다. 문제는 물안개는 아무도 책임질 필요가 없고 상대가 없는 저 홀로 만드는 풍경이니 보는 사람이 알아서 누리면 될 일지만, 사람의 말과 마음은 그렇지 않다. 대부분 연결된 상대가 있다. 대부분은 사람이고 또는 하나님일 수도 있다. 그러니… 그냥 혼자 사라져도 되는 문제가 아니다.

지나고 보니 나도 세상의 남정네들처럼 헛소리했다. 아내와 결혼하기 전 왜 그리 많은 약속을 했는지, 별도 달도 따주고 손에 물도 덜 묻히고 안 울리고 해마다 결혼기념일에는 가까운 곳이라도 꼭 여행을 가겠다고 '나 못 믿어?' 목에 힘을 주며 말했다. 딱 3번, 3년을 지키고 이후로 30년은 공수표가 되었다.

그래도 아내는 그런 나를 비난 안 하고 속았다고도 않는다. 세상의 남자들이 다 연애할 때는 무슨 말도 하고 살다 보면 제대로 안 지킨다는 걸 아내도 미리 알았나 보다. 그러니 미리 속고 시작했으니 뭐 굳이 따지지도 않는다. 세상의 아내들이, 자녀들이 다 감수하듯.

나도 말로 한다면 댈 핑계도 많고 설득할 일도 많다. 어디 사는 게 쉬운 거냐고, 다 알면서 뭘 그러냐고 하지만 신앙의 대상에게는 그러면 안 된다. 아내는 내가 꼭 결혼해서 같이 살고 싶은 대상이고 그 욕심 때문에 놓칠까 조급해서 그랬다지만, 신앙의 고백이나 약속은 굳이 안 해도 되는 것이다. 하나님은 어디 사라지지도 않고 누가 채어가지도 않는다. 그런데도 굳이 설탕 바른 달콤한 말을 포장지에 꼭꼭 싸서 눈물 애교 섞어가며 비장하게, 혹은 처절하게 올린다. 그리고… 일 년, 십 년 지나면 저절로 아무 기억도 안 난다. 동시에 아무 미안함도 못 느끼고 그렇다고 사과도 안 한다. 아니, 못한다. 알고 있어야 사과도 할 수 있는 거지.

바람에 날리는 겨가 어디로 가는지 행방을 아는가? 어디에 정착해서 이후에 어떻게 사는지 이야기를 아는가? 그런 나중 일을 기억해야 할 가치라도 있는 존재인가? 기억도 못 하고 지키려 애쓰지 않은 나의 말들이 마치 바람에 날리는 겨와 같아 민망하기도 하다. 누가 그걸 지적하면 참 기분 좋지 않고 씁쓸하겠지만 뭐 딱히 틀린 말이 아니니 변명도 못 하겠다.

돌아온 둘째 아들 탕자는 집도 있고 기다리는 아버지도 있다. 아무리 망나니 쓸모없는 자식에 큰 죄인이라 해도 돌아오면 언제나 그 자리에 그 마음 그대로 기다려주는 분 하나님 예수님은 탕자의 아버지처럼 그런 분이다. 십 년 백 년이 지나도, 바람에 떠돌다 오는 겨와 같은 탕자도 모두 품어 안아주고 다 기억하면서도 따지지는 않으신다. 도망간 한쪽은 다 까먹어 말 못 하고, 기다린 한쪽은 다 기억나도 말 안 하신다.

그렇게 만남은 언제나 일방적이다. 세상의 법칙과 풍습대로라면 불가능한 일인데 하나님 주님과 우리의 만남은 늘 그렇다. 마치 아무 일도 없었던 재회처럼 반가운 듯 마주한다. '하이! 오랜만이네요!' '그래! 잘 돌아왔어! 무사히 와줘서 고마워!' 그런 장면이 반복된다. 오래 가도 변하지도 않고 계속.

가끔, 아주 가끔 마치 데자뷰 기억처럼 스친다. '…내가 이전에 뭔가 그럴듯한 약속을 했었나?' '왜 뭔가 안지킨 약속이 있는 것처럼 싸하지?'이러면서. 그리고 그 말미에 우린 당당해진다. '뭐 늘 사랑의 하나님이시니… 괜찮을 거여!' 라고.

이 자리 이 시간
십년 후도 같은 마음으로 있을까요?
주님은 늘 변함없는데
내 안의 믿음은
바람에 날리는 겨와 같습니다
그러나 언제나 돌아오면
변함없이 맞아주는 사랑만 믿습니다.
오늘도 우리 만남은
일방적 확인입니다.
그저 기도 41 - 다시 만남 by 희망소소

‘하고 싶은 말 마흔둘 - 함께 걷는 여행자가 되고 싶어’

어디를 가고 싶다고, 가고야 말겠다고 했지만, 헛소리가 되었다. 이렇게 저렇게 살겠다고 설계도까지 그려 보았는데 공동체 쉼터 첫발을 내딛자마자 수포가 되었다. 겉으로는 자금이 모자라 포기하고 되팔아버린 공동체 쉼터로 출발할 땅이었지만 다른 이유가 있었다. 공동체 모임을 유지하기에는 터무니없는 내 자격, 그 이상도 이하도 아닌 내 부족함이 큰 이유였다.

세상의 많은 사람이 꿈이야 야무지게 꾸고 말이야 바늘 틈도 없이 완벽하다고 하지만 실재는 그런 경우가 얼마나 될까? 다들 알고 짐작하시는 대로 태반이 실패하고 그런다. 그래도 그런 야무진 꿈이나 큰 소리 몇 마디쯤은 있어야 또 사는 맛도 나고 체면도 서는 거 아닐까?

남들에게야 이런저런 변명도 할 수 있고 '너는 뭐 말한 대로 다 이루며 사냐?' 따질 수도 있지만 자기 자신에게는 점점 거짓말도 핑계도 하기 어렵다. 자기는 알기 때문이다. 그럴 능력이 없다는걸.

어떤 지식인이 배울수록 자신이 모르는 게 많다는 거 그걸 알게 되더라고 인정할 때 참 존경하게 되었다. 그 말, 그 인정, 쉽지 않고 용기가 필요하지만, 그것보다 제대로 배우시는 경지가 놀랍다. 배울수록 모르는 게 많다는 사실을 깨닫는 지식인이 생각 보다 드물다는 진실을 누군가 말했다.

이 길도 저 방식도 다 접었다고 살지 않을 수는 없다. 뭔가는 하고 어딘가로는 한발씩 나가기는 해야 하니까. 제자리에서 밥만 축내고 나에게도 남에게도 아무 유익 없는 무익한 사람으로 일생을 살 수는 없으니까. 그래서 마땅한 롤모델을 찾아 허리춤이나 바지 끝이라도 붙잡고 따라가려고 한다.

근데 주님보다 마땅한 모델이 땅 위에는 없다. 어떤 잘난 사람도 허술하고 변하는 구석이 있으며 자기 맘에 안 들 때는 분노하고 급한 상황에 마주치면 자신 외에는 다 버릴 수도 있는 나약한 존재 아닌가. 그런 점에서 주님은 오직 하나의 길, 흔들림 없이 끝까지 걸어가실 가장 완벽한 여행자시며 리더다. 목숨을 내어놓으면서도 자신을 등지고 배신한 이에게까지 미워하지 않은 분은 그분 외에는 없다.

허기진 제자들이 고기 배에서 돌아올 때 해안가에서 물고기를 불에

구워 놓고 기다리는 자상한 분이다. 풍랑을 두려워할 때 몸소 물 위에 서서 잠재운 분이다. 형제의 생명을 잃은 슬픔에 본인도 눈물로 울며 위로하며 나사로를 죽음의 동굴에서 불러 다시 살리신 권능의 분이다.

이러니 이분 외에 나의 남은 일생을 곁이나 뒤에서 따라갈 마땅한 분이 있을까? 오직 그분뿐이다.

‘하고 싶은 말 마흔셋 - 날 사랑하는 사람만 사랑하면 그건 감옥’

나를 좋아하는 사람은 나도 좋아했다. 나를 미워하는 사람은 나도 미워했다. 나를 좋아하던 사람도 열 번 중 아홉 번을 좋아해도 한 번만 나를 사랑하지 않으면 그날로 멀리하고.

나에게 유익할 사람에게는 정성을 다하고 나에게 도움이 안 될 사람은 무심히 흘려보냈다. 내게 손해가 될 사람은 행여 다가올까 슬슬 피했다. 그렇게 사는 동안 꿈에도 미처 몰랐다. 내 발밑은 점점 깊어지고 울타리는 높아져서 마침내 나 혼자만 감옥에 갇혔다는 걸.

한때는 나를 향해 아무 바라는 것 없으면서 미소를 보여주고 말을 걸어주던 사람도 있었는데 이제는 내가 미소를 지어도 멀어져 간다. 그렇게 살지 말라고 누군가 여러 번 말했는데 흘려듣고 뾰족하고 까칠한 내 맘대로 하다 보니 나를 잘 알수록 실망하여 떠나고 낯선 이만 남았다.

여러 날 비가 내리고 바깥으로 나가지도 못하다가 사람이 그리워 대화가 배고파 연락처를 뒤적이다 보니 '왜? 무슨 일인데?'하고 돌아올 말이 떠올라 두렵다. 슬그머니 연락처를 덮고 홀로 사방 벽을 바라보니 이게 내가 만든 감옥이고 내가 만든 지옥이다.

좀 실없는 사람 같아도 수다도 떨고 살아 볼 걸. 지루한 말 하고 또 해도 들어도 주고 웃어도 줄 걸. 내 입에 안 맞아도 같이 먹고 마시며 어울려 볼 걸. 내게 생기는 거 없어도 푸념할 때 등 두드려 줄 걸. 딱 부러지지 않아도 막지 말고 들어주고 할 걸...

후회되는 기억은 열 손가락을 다해도 넘치고 잘한 기억은 열 손가락이 남아도 생각이 안 난다. 아직 남은 날 동안 더 높은 담, 더 깊은 구덩이 안 만들고 다시는 오는 사람 안 막고 가는 사람 배웅해주고 싶다. 낮은 담 넘어 멀리까지 탁 트인 마당처럼 자유로운 사람이 되어 웃는 소리로 와서 먹고 놀다 가고 손 흔들고 다시 오는 그런 기쁜 집이 되고 싶다. 지옥도 감옥도 아닌 집.

이웃을 사랑하며 살아야지 말하고
날 사랑한 사람만,
내게 유익한 사람만 사랑했네요
사람들이 내게 상처를 주고 미워한다고
나도 두려운 담을 치고 살았네요
정작 외로워지는 사람은 누구인지 몰랐네요
주님, 혼자만의 감옥에 갇히기 전에
내 마음열고 살게 해주세요

그저 기도 43 - 내맘열기 by 희망으로

'하고 싶은 말 마흔넷 - 벌판 같은 세상에서 들꽃처럼 살고 싶어'

꽃처럼 살고 싶어…, 누구나 그런 바람 가져본 적 있잖아? 향기를 바람에 날리며 햇살에 반짝이는 꽃잎들 아무 욕심 내지 않고 살다가 가는 홀가분한 생. 아침이면 이슬을 받아 잎에서 땅으로 흘려보내고, 저녁이면 노을을 바라보며 꽃잎을 닫는 나날. 그렇게 딱 한 계절만 살 수 있어도 더는 소원 없는 생.

꽃처럼 못사는 이 세상의 길. 누구나 버티다 어느 순간이 오면 접고 잊지? 질기게 질기게 파도를 넘고 넘어, 때로는 죽지 못해서 끝까지 산다는 말을 입에 담거나, 혹은 도로 삼키거나 상관없이 한 두 번, 아니, 수십 번 수백 번은 하고 사는 삶.

이렇게 꽃처럼 향기롭지도 못하고 맑지도 못하고 탁한 채로 때로 썩은 냄새가 나도 살아내다가 좋은 날도 분명히 있었지만 오래 누리지 못하고 마치 한 번도 좋은 날은 없었던 사람처럼 힘겨워하는 그렇게 흔들리는 사람 꽃이 되고 말지?

보리피리를 쓴 문둥이 시인 한하운도 그랬다. 그의 시 '삶'에서 꽃 같은 삶이 꽃이 되지 못하는 슬픔을 욕이고 벌이다! 라고 탄식했다.

[삶 - 지나가버린 것은/ 모두가 다 아름다웠다.

여기 있는 것 남은 것은/ 욕(辱)이다 벌(罰)이다 문둥이다.

옛날에 서서/ 우러러보던 하늘은/ 아직도 푸르기만 하다마는

아 꽃과 같던 삶과/ 꽃일 수 없는 삶과의/ 갈등(葛藤) 사잇길에 쩔룩거리며 섰다.

잠깐이라도 이 낯선 집/ 추녀 밑에 서서 우는 것은/ 욕이다 벌이다 문둥이다.]

다행인 점은 우리에게는 꽃이 아니어도, 꽃이 못되어도 반겨주고 안아주는 그리스도와 하나님이 계신다. 무엇이 되어도 등 돌리지 않으시는 사랑이 넘치는 분이! 많은 것이 갖추어진 온실 속이 아니어도 살 수 있고 아무도 보아주지 않는 구석진 자리에 피어도 혼자 피었다 혼자 사라져도 들판의 꽃이 되어도 키우고 돌보시겠다 약속하시는 그 분이.

꽃처럼 향기롭게
아름답게 살고 싶었는데
근심들이 가시처럼 쌓여
아름답지 못하게 삽니다.
게으른 욕심은
온실 속 꽃을 부러워하는
죽은 소원을 빌기도 합니다
차라리 추위와 바람 맞더라도
들꽃처럼 살게 해주세요.
그저 기도 44 - 들꽃처럼 by 희망으로

'하고 싶은 말 마흔다섯 - 세상이 내 것이 아니었던가요?'

미래 세상을 소재로 만든 영화를 보았다. 보면서 영화랑 상관없는 엉뚱한 부러움이 내내 나를 툭툭 건드려 몰입 못 하고 샛길로 빠졌다. 내 주변의 사람들이 내가 원하는 대로 모두 움직여주고 내 생각과 결정에 따라준다면 얼마나 편할까? 물론 그런다고 결과가 반드시 잘된다는 보장은 못 하지만. 내 능력과 판단력, 지식 정보의 수준만큼 결과가 오겠지.

그래도 숱한 갈등과 마땅치 않은 불편함은 없겠지? 그 영화에 나오는 가정용 도우미 로봇이 딱 그랬다. 뭐든지 주인이 시키는 대로만 하고 하지 말라는 건 안 하고 주인의 심기와 말투를 분석해 분위기를 맞추어 주었다. 따뜻한 물과 좋아하는 음식을 내놓고 음악도 틀어주고! 세상에 이런 사람, 아니 나만을 위한 전용 맞춤 로봇이 집에서 나를 기다려준다면 얼른 집에 돌아오고 싶을 거다. 바깥에서 쌓인 피로와 짜증들이 다 풀릴지도 모른다. 그러니 영화를 보면서 자꾸만 나도 있었으면 하고 부러웠다. 현실은 종일 일하고 집에 와도 가족 기분을 맞추어야 하는데.

시인 안도현은 '너에게 묻는다'라는 시에서 말했다. "너는 누구에게 한 번이라도 뜨거운 사람이었느냐?"

[너에게 묻는다. - 안도현

너에게 묻는다.

연탄재 함부로 발로 차지 마라

너는 누구에게 한 번이라도 뜨거운 사람이었느냐

(이하 생략)]

내가 나에게 물어보았다. 나는 타인은 고사하고 가족 누구에게 로봇의 십분의 일, 아니, 백분의 일이라도 편한 도우미가 되어 준 적이 있는가? 뭐 대답은 말하지 않아도 짐작들 하실 거다. 나만 그런가? 모두 그렇게 잘하고 잘 사는데?

겪지 않아도 안다. 세상 누구도 남의 소유가 아니고 물론 나도 누구의 소유가 아니라는 사실을. 왜냐하면 내 것이라면 내 맘대로 움직일 수 있을 텐데 그렇게 안 된다는 거 모두 아니까!

놀라운 점은 남들만 내 것이 아닌 것에서 그치지 않고 나 자신도 내 것 아님을 종종 확인한다는 것이다. 내가 정해놓은 내 결심대로 살지 못해 실패하는 경우가 살다가 얼마나 많은지 모른다. 감정도 내 의지대로 조절되지 않아 갈등과 불행에 빠지고 생각과 머리에서는 아는데도 뿌리치지 못하는 유혹에 넘어가 낭비하고 위험에 몰리고 벌 받는 경우도 허다하다. 내 몸도 내 맘도 내 원대로 안 되면… 이건 내 것 아니다.

그래도 소중한 만남에서 무언가 찾고 싶다. 서로를 괴롭히고 쓸데없는 역할만 하라고 가족 된 거 아니고, 친구, 이웃, 동료가 되지는 않았을 거다. 모두가 자신을 스스로 조율하지 못하고 자신에게도 남에게도 만만한 도우미로 유익을 주지 못함에도 말이다.

그래도 함께 보내는 단 한 번의 일생에서 우리는 우리의 주인을 찾는 여행을 하는 거 아닐까? 부족하고 일관성도 인내심도 모자라는 사람들이 모여 함께 살아가면서 우리 가운데 계시는 숨어 있는 분을 눈감고 알아내는 술래 찾기 중이 아닐까? 부디 가난한 상태에서도 천국을 얻는 복을 빌어본다.

남들은 내 맘대로 안 되고
나는 남들이 바라는 대로 못하고
그 마음들이 쌓입니다.
원하는 것과 원치 않는 것들이
바람과 다르게 일어나니 괴롭지만
세상이 내 것이 아님도 배웁니다.
내 원대로 되거나 안되거나
이 모두 나에게 주어진 만남이다
받아들이게 해주소서.
그저 기도 45 - 내것 아닌세상 by 희망으로

‘하고 싶은 말 마흔여섯 - 벌써 보름째야!’

“벌써 보름째야! 우리 같이 하루 벌어 하루 먹고 사는 사람들은 가만히 앉아 굶어 죽으란 거야 뭐야? 아니 해도 너무하는 것 아니냐 말입니다!

에헤이! 당신이 이렇게 몰인정하게 나오니까 사람들 인심마저 사나워지지 않소! 내가 방금 야채 시장을 지나오는데 무, 배추, 감자 할 것 없이 몽땅 빗속에 잠겨 썩어가더라고. 비 좀 그치고 우리 스스로 일좀 하게 해서 뭐라도 좀 먹게 해달라고! 우리가 뭐 공짜로 먹게 해 달랬어? 비만 그치게 해주면 우리가 스스로 벌어먹겠다는 거 아니야!!”

이강백의 연극 ‘내가 날씨에 따라 변할 사람 같소?’에서 땜장이는 처절하게 독백을 했다.

긴 장마를 지나면서 생존에 버거워하는 사람들은 작게 크게, 겉으로 혹은 속으로 말한다. 이제 좀 좋은 날을 허락해주셔요! 좀 살자구요! 라고.

긴 장마와 비슷하게 긴 불행과 고난에 시달리는 병든 사람, 가난한 사람, 무언가에 갇히고 막힌 이들도 우울하게 종일 애원한다. '이제 밝은 날도 주셔서 좀 벗어나게 해주세요…' 하늘만 목이 빠지게 바라보는 사람들이 넘친다. 이 땅의 그늘진 곳에서 애통하는 사람들의 신음도.

서쪽 끝 하늘에서 동전 크기의 구름 하나가 생기고 점점 커지고 다가오더니 마침내 흉년을 끝내는 단비가 내리는 성경의 사랑 담긴 기적처럼 매이고 짓누르는 많은 고통이 사라지고 다시 이전처럼 자유와 감사와 웃음을 찾는 날이 오기를 기다린다.

감당하기 무거운 짐들이 바위가 되고 벽이 되어 점점 좁혀오면 숨을 쉴 수가 없고 사방이 캄캄해 길이 보이지 않으면 질식할 것 같아 견딜 수가 없다. 이럴 때 우리는 자기도 모르게 비명을 지른다. '살려주세요! 죽을 것 같아요!'

낮은 신음에도 응답하신다는 우리의 하나님이 외면하지 않고 달려오셔서 손길을 내어주시고 어둠을 걷어치우고 새로운 바람을 주셔서 우리를 살리실 것을 믿는다.

우리의 눈으로 그렇게 내려오는 생명의 생기를 보고 듣고, 새 숨을 쉬는 순간이 오리라는 것을!

'하고 싶은 말 마흔일곱 - 자꾸만 소중해지는 당신'

내가 가진 것이 뭐가 있었는지 이제는 잘 기억나지도 않는다. 참 많은 것을 가지고 있는 사람처럼 누구에게도 아쉬운 말은 않고 살았다. 그저 마음만 부자였고 남들은 별로 인정도 안 하는 그런 자존심 부자였지만 정말 부끄럽지 않았다. 못할 것도 없었고, 못 갈 곳도 없었다.

그런데… 어른이 되면서 길을 잃었다. 어른들의 세상에서 나는 가진 것이 없는 가난하고 길을 잃은 어리석은 아이가 되었다. 이전에는 별로 주눅 들지 않아도 되는 것들이 이 어른의 세상에서는 어찌나 힘세고 중요한지 졸지에 점점 나는 밀려나고 주눅 들어 슬퍼졌다.

물려받은 재산, 넓은 인맥, 빼어난 재능, 일찍 쌓은 스펙, 남들에게 빠르게 맞추어 변하는 보호색, 그런 소득으로 얻어지는 정보들, 돈 되는 선

착순 티켓 등, 그런 걸 별로 소용도 없고 소중하지도 않다고 보았던 내 어리석음이 비참한 결과를 불러왔다. 아무 준비도 소유도 못 한 벌거벗은 벌판의 아이에게.

나는 점점 날카로워지고 삭막해져 간다. 그나마 포근했던 여유와 유머도 메마르고 계산 없이 다가가서 손 내밀던 친근한 성품도 변해 많은 걸 잃어버리고 사라진 친구들처럼 텅 비어 외롭게 오직 당신 하나만 남았다. 담 밑에 비 맞은 길고양이 하나에게 줄 미소도 없다. 가뭄에 말라가는 꽃을 보아도 물 한 그릇 못 줄 정도로.

간절하게 부탁해본다. 어른의 세상일지라도 어른으로 변하지 않고도 살 힘을, 가난하지 않은 세상의 창조자인 하나님에게.

저는 못합니다.
멋드러진 재치 있는 말도
감탄을 자아내는 정보 제공도
눈물 쏟아지는 감동적인 말도…
제겐 없습니다.
풍족히 나누어줄 무엇도
세모도 네모도
다 끌어안을 너그러움도…
그래서 자꾸만 더
소중해지는 당신뿐입니다.
오래 오래 당신과
함께 살게 해주세요
그저 기도 47 - 오직 당신. by 희망소로

'하고 싶은 말 마흔여덟 - 내 길의 끝에는 벼랑도 있다'

착하게 살아서 복을 받는다고 기뻐하는 날도 있다. 그러나 많이들 그러듯 공연히 어려움에 마주치는 날도 있다. 심지어 하나님의 아들이라는 예수님조차 죄없이도 미움을 받고 못난 종교인들의 모함을 받아 죽었다.

굳이 예수님 아니어도 세상에서는 곧잘 선하게 남을 돕다가 자신이 어려워지기도 한다. 또 고난을 겪고 감옥에 갇히거나 가난해지기도 한다. 나라를 잃고 자신의 목숨까지 바친 독립군의 경우 그 후손들까지 대를 이어 가난에 허덕이며 비난과 모욕까지 당하는 걸 뉴스를 통해 종종 본다.

그냥 평범하게 사는 사람들에게도 닥쳐오는 이런저런 사고나 질병도 어쩌면 그럴 수 있다. 그래도 그런 힘겨운 상황이 닥치면 우리는 곧 잘 비명을 지른다. 고약한 원망과 신음을 담아. “왜 나만 이렇게 당해야 하나요?” 라던가 “내가 무슨 잘못을 했다고 이래요? 억울해요!“ 따진다. 왜 나만 당하지 말고 남들도 모두 당해야 당연한 걸까? 또는 뭘 근거로 나는 아무 죄도 없다는 확신을 할까? 세상에 오는 불행이 꼭 죄가 있어서는 아니더라도 아무 죄도 없이 살았다는 주장은 지나친 오만이다.

좋은 뜻을 가지고 모인 많은 공동체나 신앙 모임들이 어려움에 부딪히거나 악한 세력의 공격을 받으면 예상보다 쉽게 하나둘 이탈하고 무너진다. 고난을 감당할 용기도 없거니와 유혹을 뿌리치지 못해 스스로 자기를 도망시킬 핑계를 댄다. ‘이 길은 애당초 문제가 있었어!’ ‘처음부터 무리였어, 보통 사람은 갈 길이 아녀!’ 그렇게 하차하고 편한 길로 가는 것을 선택한다.

많은 기독교인이 천국 가는 길은 좁은 길이고 천국 문은 좁은 문이라고 평상시에는 아는 척한다. 그러나 정작 삶에서 선호하는 길은 그렇지 않다. 넓은 길을 가기 좋아하고, 넓은 문을 바라본다. 심지어 성공한 사람들을 예수 잘 믿어 복을 받은 거라고 남들에게 사례로 소개하며 부러워하기도 한다.

거기에 그치지 않고 더 심한 잘못도 한다. 성공하지 못하는 사람들에게 심한 평가를 한다. 질병의 고통을 겪거나 시험에 낙방하고 실패한 사람에게 예수를 잘 믿지 않아서 아직도 고생을 당하는 거라고. 이쯤 되면 좁은 길로 가라! 고난을 당하더라도! 라고 제자들에게 가르친 예수는 엉터리 선생이 되고 만다.

그러나 오랜 역사는 말한다. 내 욕심과 내 얄팍한 잔머리가 만든 내 길은 끝까지 가면 늘 망하고 불행해진다는 걸! 그래도 넓은 길과 넓은 문은 오랫동안 사라지지 않는 뿌리치기 힘든 지독한 유혹의 길로 남을 거다. 좁은 문, 좁은 길은 주님이 돕지 않으면 같이 못 간다.

'하고 싶은 말 마흔아홉 - 하루의 시작은 감사합니다!'

'시작이 절반'이라는 말도 있다. 그만큼 첫 출발, 첫 마음이 중요하다는 뜻이다. 작가 로버트 펄검(Robert Fulghum)의 베스트셀러 「인생에 필요한 것은 유치원에서 다 배웠다」에서 평생의 중요한 시기를 어릴 때라고 강조했다.

비슷한 하루의 시작은 아침에 달렸다고 할 수 있다. 운수업에 종사하는 기사님 중에는 아침에 다투거나 화가 나는 일을 겪으면 그날은 핸들을 안 잡기도 한다. 하루 종일 그 불편한 마음으로 운전하다가 잘못하면 큰 사고를 당할 수도 있다고 불안하여 피한다고.

꼭 운전업만이 아니라 하루의 시작인 아침에 분노하면 그날 온종일 알게 모르게 다른 사람에게로 이유 없이 그 기분이 돌고 돌아 세상이 불편해지기도 한다. 아침에 던진 미움의 부메랑이 밤이 되어 자신이나 가족에게 되돌아오는 웃기만 할 수 없는 우화를 본 적도 있다.

아침에 처음 만나는 사람이 활짝 미소를 지으며 '감사합니다!'라는 인사를 건네준다면 어떤 사람인들 기분이 좋지 않을까? 그 기쁜 마음은 또 다른 사람에게로 좋은 기운으로 갈 거다. 그렇게 우리의 아침은 나와 가족과 이웃에게 중요하다.

그래서 밤이면 잠들기 전 간절한 기도를 드리게 된다. 부디 밤에 잠든 시간에 악몽이나 나쁜 꿈을 꾸지 않기를. 나쁜 꿈에 시달리다 깬 새벽과 아침은 정말 싫다. 딱히 누구의 탓도 아니고 원망의 대상도 없는데도 예민해진 감정은 마주치는 누군가를 상대로 투덜거린다. 이유 없는 그런 감정의 전달은 폭탄 돌리기가 되어 종일 세상을 망치러 다니는 악한 영들의 잔치가 된다.

어떤 날은 그 주체가 바뀌어 가족이나 직장에서 아무 이유 없는 공격적 시비를 받거나 가시 돋친 말에 상처를 입기도 한다. 마주치면 싸움이 날지 모를. 그 순간 혼자 바라는 내 속의 기도는 이렇다.

'부디 이 불편한 나쁜 기운을 끊게 해주세요! 억울하다고 계속 이어지지 않고 저에게서 멈추어지고 할 수만 있다면 저 마음을 풀어줄 미소와 따뜻한 말 한마디 건넬 용기와 지혜를 주셔서 세상이 다시 향기롭게 해주세요'

물론 쉽지 않고 대부분 내 한 몸 달래기도 벅차서 씩씩거리다 기회를 놓치지만. 나의 속 사람은 아주 소심하고 여유 없어서 못 하지만 우리 하나님과 주님의 사랑은 넘치고 힘이 있다. 주님이 주시는 사랑의 마음을 힘입어서 그런 하루의 아침을 날마다 만들고 행복하기를 빈다.

[그러나 우리는 이 모든 일에서 우리를 사랑하여 주신 그분을 힘입어서, 이기고도 남습니다. - 로마서 8장 37절]

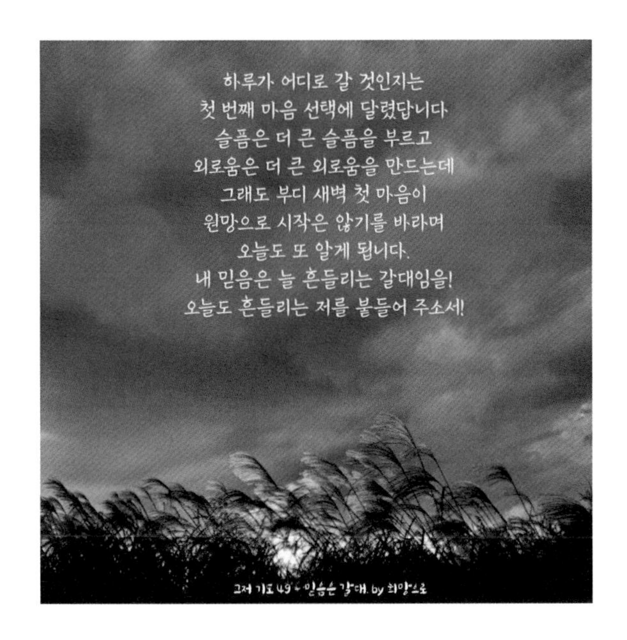

'하고 싶은 말 쉰 - 두 개의 바퀴, 두 개의 날개, 두 개의 세상'

밤만 계속되는 세상, 혹은 낮만 계속되는 세상, 그 어느 쪽도 사람이 살기는 힘들다. 일할 때와 쉴 때, 깨어 있을 때와 잘 때, 기쁠 때와 슬플 때, 우리는 이 두 개의 환경에서라야 온전한 삶을 살 수 있다.

얼핏 기쁜 날만 계속되면 더 좋은 생존이 될 것 같지만 그 끝은 기쁨도 무디다가 상실되고 만다. 맑은 날만 계속되면 사막이 되는 법칙과 같다.

평생 한 번도 후회할 일 하지 않고 실수조차 하지 않는 완벽한 사람이 가장 아름다울 것 같지만 그렇지 않다. 그 비슷한 엄격한 생활을 해냈다고 스스로 자평한 사람들이 오만해지고 용서와 공감과 사랑을 잃어버린 그저 종교인 껍질이 되었다고 야단을 맞았다. 예수님과 세례요한에게.

폿대를 앞세우고 평생을 달음박질하는 사도 바울의 모습, 그런 자세가 어쩌면 가장 아름다운 사람인지도 모른다.

우리는 연약함을 늘 확인하곤 한다. 욕심과 질투와 미움과 무능력과 실패와 사랑이 없어서 상처 주고 후회하고 그 나날들이 오히려 우리를 겸손하게 한다. 내 속에 완성을 이룰 본성이 없음을 고백한다.

하나님이 주신 그림 한 장을 손에 쥐고 열심히 그려가며 하루씩 살아가는 우리의 일상을 하나님은 아름답다고 하시고 용서를 빌고 다시 각오하는 우리를 나무라지 않는다.

수평을 이루려 애쓰는 우리의 안간힘을 사랑스럽고 흐뭇하게 지켜보실 거다. 바로 서서 걸어보려는 어린 아기를 지켜보는 부모의 뿌듯함 비슷하게…

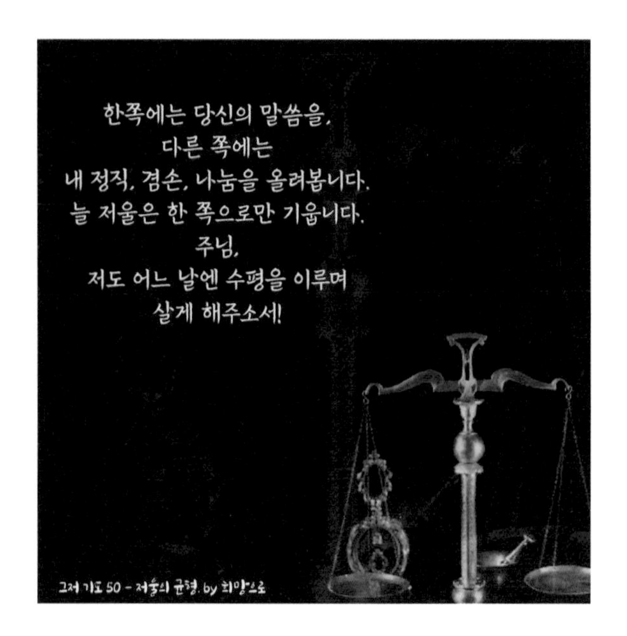
한쪽에는 당신의 말씀을,
다른 쪽에는
내 정직, 겸손, 나눔을 올려봅니다.
늘 저울은 한 쪽으로만 기웁니다.
주님,
저도 어느 날엔 수평을 이루며
살게 해주소서!
그저 기도 50 - 저울의 균형. by 희망으로

part 3

지키지 못하면서 약속만 늘어가는 기도가 있다

51.욕심은 길을 잃고 방황하게 하네 / 52.같은 구속, 다른 자유 / 53.하나님과 나, 우리는 서로 다른 이유로 운다 / 54.누구를 위해 날마다 문은 열리나? / 55.계산하지 않는 사랑 / 56.꽃의 향기는 상으로 받은 것이 아니다 / 57.회복 / 58.함께 기뻐하는 복을 기다리며 / 59.나는 바담 풍 해도 너는 바담 풍 해라? / 60.숨은 사랑 / 61.그 고난은 미리하는 도우미 훈련 / 62.길 / 63.먹구름 위에 햇살 있음을 아는 것 / 64.산을 없애지 못하여... 넘는다 / 65.내게 있는 것 / 66.오늘도 나의 하루는 / 67.잠잠히 사랑하는 힘 / 68.아직도 올리는 민망한 소원 / 69.섬으로 살지라도 혼자가 아니다 / 70.멀어져 가는 것도 사랑하기 / 71.흐린 날 뒤에 올 맑은 바람이 그립다 / 72.내가 약할수록 기다려 주시는 하나님 / 73.세상에서 가장 큰 기적과 행복은? / 74.더 잘하지 못해도 / 75.생존의 필수품은 자존심과 희망

'하고 싶은 말 쉰하나 - 욕심은 길을 잃고 방황하게 하네'

아주 어린 아이는 종종 위험에 빠진다. 보호자가 눈을 떼지 말고 잘 살펴야 하는 이유이기도 하다. 아이들은 무언가에 마음이 꽂히면 다른 것은 안 보인다. 주위에 대해 살피거나 안전을 먼저 생각하지 않는다. 그냥 그 마음을 빼앗긴 대상을 향해 냅다 달린다. 발아래 돌부리가 있든지 말든지, 물이 쏟아지던지 불이 붙었는지 상관없다.

가끔 드라마나 영화에서 이런 장면을 본다. 길 건너편에 친구나 부모가 보이면 신호등을 안 보고 냅다 차도로 내려와 달리다가 사고가 일어나는 장면. 어른들에게서도 비슷한 상황이 일어날 때가 있다. 욕심에 눈이 팔려 좌우 위험한 것도 모르고 달리는 경우, 그러다 다치고 위험을 무릅쓰다가 크게 상처를 입기도 한다. 아주 소중한 사람과 멀어지거나 중요한 것을 상실하기도 한다. 욕망은 우리를 위험에 빠트리는 과속 전차가 되기도 한다. 빠르게, 더 빠르게 성공하고, 많이 더 많이 손에 넣기 위해 목숨을 걸게도 하는 정말 어리석은 괴물이다.

하나님은 자주 그런 아이 같은 우리에게 말한다. '조심! 조심… 넘어질라! 다칠라!' 이미 시선이 길 건너로 가서 귀에 들어오지 않는 아이들처럼 우리 눈은 멀고 귀가 먹어 어른이라도 들리지 않는다. 멈추지도 않고 천천히 움직여 안전을 신경 쓰지도 않는다.

간음하다가 잡혀온 여자를 광장에 세워두고 많은 마을 사람이 돌을 손에 들고 던지려고 한다. '저 창녀를 돌로 쳐 죽이자! 죄 많은 여자다!' 그때 예수님은 그저 땅바닥에 그림인지 글인지를 쓴다. 누구는 그저 동그라미 하나였다고도 한다. 예수를 함정에 몰아넣으려고 벼르던 간교한 자들이 물었다.

'사랑? 맨날 사랑 타령에 죄인들의 친구라고 했지?

어디 무슨 말로 이 율법의 그물을 피하나 보자!'

그러면서 잡힌 창녀에게 어떻게 할지 답을 요구한다. 사랑 때문에 율법을 어기든지, 율법 때문에 사랑을 버리든지, 둘 중의 하나, 무엇을 말하든지 올가미에 걸리게 하려고.

'그려, 돌로 패 죽이든지 돌무덤에 묻어버리든지! 니들 맘대로 해.

다만 너희도 죄가 없어야 공평하잖아? 같은 죄인이 다른 죄인을

돌로 쳐 죽이는 건 좀 아니지? 불공평하잖아?'

하나님 앞에서 한 점 죄도 없다고 주장을 하기에는 누구도 그럴 용기도 없고, 억지를 부리기 힘들었다. 그건 나도 하나님과 동등하다는 신성모독이고 차마 밖으로 내뱉기는 뻔뻔한 거짓말이니까.

예수님의 말 한마디는 브레이크가 되었다. 자신은 보지 못하고 남의 죄를 향한 돌팔매질을 하려고 달리는 인간의 이기적 행동을 깨닫게 하셨다.

'천천히! 자기 모습도 좀 보면서 함께 살아가는 길을 찾자!'

예수님은 그렇게 말하며 사람들을 차분하게 했다. 마을 사람들은 돌을 놓고 하나둘 모두 그곳을 떠났다. 흥분하고 남의 죄만 비난하던 위험한 상태에서 자신을 들여다보며 겸손하고 반성하는 안정된 상태로.

우리의 일상이 늘 안전하고 화평하기를 바랄 때면 이 장면과 주님의 말씀이 기억난다. 우리를 욕망과 질주에서 멈추게 해주시기를 빌면서…

그저 기도 51 - 여기 살자. by 희망소로

‘하고 싶은 말 쉰둘 - 같은 구속, 다른 자유’

아직도 잘 이해되지 않는 것이 있다. 같은 부모, 같은 환경에서 자란 형제인데도 성장하면서 다른 영향을 받고 다르게 가는 모습이다. 가난이나 험한 불행을 같이 겪어도 어떤 형제는 그 역경을 극복하고 오히려 더 단단하고 따뜻해져 비슷한 형편의 사람을 돕고 공감하는 삶을 사는데 같은 과거를 경유하고서도 전혀 다른 모습으로 어른이 되어 철저하게 자기만 챙기고 남을 불신하며 세상을 비관적으로 보거나 냉정한 사람이 되기도 한다.

왜 그런 갈림길이 생기는 걸까? 같은 유전자 같은 환경을 가지고도 전혀 다르게 살아가게 되는 것이 궁금했다. 이런 이야기도 생각난다. 같은 물을 마시고도 소는 우유를 내고 뱀은 독을 만든다는 이야기.

오랜 시간 누가 선물해준 어항에 구피 물고기를 키우며 자주 들여다 보면서 비슷한 의문이 생겼다. 십수 년이 넘도록 병원의 침대 하나에 아내를 누이고 나는 좁은 보조 침대에서 살면서 한 평의 감옥이라고 자신을 달래도 보고 답답해 못 견디기도 했다.

그때 문득 헤엄치다가 바로 유리 어항의 벽에 막혀 계속 빙빙 돌아야 하는 물고기를 보며 나와 닮았다 싶었다. 원해도 탈출하지 못하고 계속 좁은 공간에서 사는 불행한 처지가 비슷하다 느꼈다.

그런데… 동시에 다른 느낌도 알았다. 물고기가 표정을 지을 수 있을까? 당연히 없겠지. 웃거나 기쁘고 슬픈 표정이라니 말도 안 된다는 것을 나도 알면서도 그런 착각을 한다.

하루 종일 하는 거라고는 물과 밥을 먹고 똥 싸고 자고 그것밖에 없으니 저놈들도 심심하기도 할 거다. 그래서 분명 술레잡기 놀이를 하는 게 분명해 보인다. 자꾸 보니… 내뺀 놈이 안 잡혔다고 으쓱 웃기도 한다. 못 잡은 놈은 못 잡았다고 화가 나서 씩씩거린다. 잠시 후 이놈 저놈 모두 조용히 수초 잎에 숨어 잠든다. 참 잘 지낸다. 같이 갇힌 처지인 나와 비교도 안 되게.

작은 공간 갇힌 생존이지만 참 자유롭게 보였다. 적응하고 오래 살아남는 걸 보면서 부럽기도 했다. 물고기 밥을 주고 물을 갈아주고 빛도 가려주어야 겨우 살아가는 남의 손에 생명이 달린 놈들인데도 전혀 상관없다는 듯 하루하루를 놀며 보낸다. 실제로 관리가 부실하면 무더기로 죽어 나가기도 한다. 그래도 감탄하는 건 물이 오염되거나 모이가 부실하거나 큰 놈에게 먹히거나 여러 이유로 죽는데도 불구하고 그러나 그딴 게 무슨 상관이냐는 듯 산 놈은 살고 그런다. 그보다 높은 영성을 가진 인간인 나보다 자유롭다.

오래전 예수님의 제자들은 갇힌 옥방에서도 찬송을 부르고 기쁘게 감사하며 기도하고 오히려 간수를 전도도 했다는데 같은 예수를 따른다면서도 그 기운은 너무 다르다. 내 속에서 샘솟는 불행의 감정을 바꾸고 싶다. 샘솟는 기쁨과 감사와 자유로...

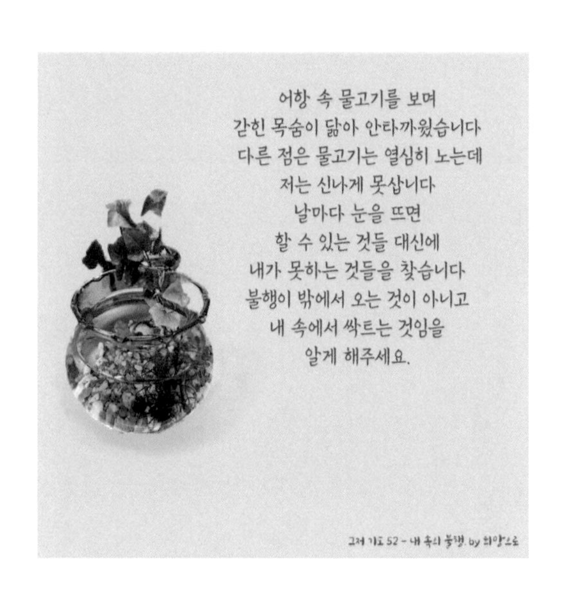

'하고 싶은 말 쉰셋 - 하나님과 나는 서로 다른 이유로 운다'

방이 3개는 있는 아파트에 살고 싶고, 너무 오래되지 않은 깨끗한 차가 한 대 있었으면 좋겠고, 아이들이 안정된 직장에 다니고 결혼도 잘했으면…

나는 그런 이유로 종종 우울해진다. 그것은 지금은 내게 없는 것들이기 때문이다. 많은 사람이 한결같이 바라는 것, 그게 무엇이든 간에 그 공백과 부재와 아득한 것들을 자꾸 생각하다가 나는 능력이 없고 그런 걸 물려줄 인맥도 없었음을 원망하고 아쉬워하다가 탓하기도 했다.

그것들은 어쩌면 내가 이 세상을 마칠 때까지는 물론이고 두 번, 세 번은 죽었다가 태어나도 가질 수 없는 내게 없는 것들, 내가 가지고 싶은 그저 욕심들이다. 그렇게 멀리 있고 다 가질 수 없는 것들로 울게 된다. 웃음도 자주 잃고 얼굴은 찌푸린 채 살게 된다.

내가 우는 그날에 또 다른 누군가가 나와는 다른 이유로 울고 있는 줄은 몰랐다. 작은 빵 몇 개를 사서 허기지면서도 노느라 정신없는 아이들을 찾아가 나누어 먹고, 넉넉하지 못한 이웃에게 혹시 필요한 작은 살림 한두 가지를 사서 들러 선물하며 커피도 마시고, 자녀들이 일이 잘 안 풀려서 기죽어 있을 때 불러내어 같이 맛있게 밥 먹으며 격려해주는 부모. 그런 언제나 할 수 있는 일을 하지 않는 내 모습에 안타까워 어느 때는 우신다고 한다. 하늘의 아버지 하나님께서.

나는 자꾸만 작아지고 무기력해져서 스스로 우주 속의 버러지 한 마리라며 자조한다. 하나님은 그런 나를 우주보다 무겁고 소중하다며 자꾸만 비하하는 내 모습이 속상해서 참을 수 없어 한다.

쉴 새 없이 장마철 먹구름처럼 몰려오는 죄의 유혹에서도 시시로 흔들고 깨워 사망의 올가미에 안 걸리게 애쓰는데 그걸 몰라주고 원망이나 하니 슬프다고 한다.

아마, 내가 그걸 다 인정하고 이 악물고 하나님이 바라시는 대로 작은 실천을 하며 살 가능성은 앞으로도 많이 없어 보인다.

그저 조금씩 하나님의 선한 삶을 향한 기대를 수용하며 내가 만드는 지옥에서 날마다 1센티씩이라도 벗어나는 그런 은총의 날을 빌며 기다릴 뿐이다. 다만 은총으로만 가능한 그런 기적의 순간이 오기를!

나는 하고 싶은데 못하는 것들로 울고
하나님은 내가 할 수 있는 일을
안 해서 웁니다.
나의 걱정은 이미 사라진 것들과
아직 오지도 않은 일을 씨름하는 것 뿐
나를 바라보면
우주 속에 던져진 작은 벌레 같지만
내 안에 계신 당신을 보면
우주보다 큰 사랑에 마음이 놓입니다.
그저 기도 53 - 내 안의 당신 by 희망으로

'하고 싶은 말 쉰넷 - 누구를 위해 날마다 문은 열리나?'

잠들기 전 나지막이 속으로 기도한다. 내일은 오늘보다 더 나은 날이 되기를! 그러다 구체적으로 주문할 내용이 떠오른다. 필요한 돈이 얼마 정도 있어야 할지, 아픈 몸 어디가 빨리 나아지기를. 또 자식 중 특별히 어려움을 겪고 있는 몇째를 좀 도와주셔서 일이 잘 풀리게 해달라고…

처음에는 좀 고상하고 멋있는 기도도 떠올리지만 그러다 절실하게 가슴에 딱 와닿지 않는다 싶어지면 남이 들으면 염치없고 속물 같아 보이겠지만 종일 생각에서 떠나지 않는 문제를 털어놓는다. 그제야 목소리는 애절해지고 더 낮게 엎드려 간절히 겸손하게 빌게 된다. 늘 그러듯.

밤이 지나고 새벽이 밝아 온다고 무엇이 달라질까? 어젯밤에 누운 그대로 그 자리에서 눈을 뜬다. 어제 가난했던 형편 그대로 아침을 맞이하고 어제 옹졸했던 그대로 밉고 싫은 사람도 그대로다. 어제 아픈 몸의 증상은 그대로 쑤시고 결리고 걱정되고 그저 막연히 오늘은 달라지기를 빌 뿐.

작년 이맘때 아침, 십 년 전 아침과 믿기 전 아침과 믿음을 가진 후 아침이 하나도 다르지 않다는 사실을 문득 알았다. 다만 날마다 주문하는 색깔만 달라졌다. 오늘은 파란 문을 주세요! 오늘은 빨간 문이 필요합니다! 아시지요? 오늘은 하얀 문이 열려야 한다는 거요? 그렇게 색상만 달라지지 온통 나만을 위한 문 내 문제가 해결되기만 하면 된다는 문을 주문한다.

가끔은 옆의 누군가에게 절실하게 필요해서 나보다 저 사람 문을 먼저 좀 열어주세요! 그런 기도는 드려본 기억이 없다. 나보다 하나님에게 필요해서 문을 열어주시며 '오늘은 나를 위해 이 문을 좀 지나가다오!' 하시는 말을 귀 담아 들어준 적도 없었다.

아주 오래전 믿음의 제자들은 날마다 그랬다지? 하나님이 열어주시는 어떤 문이든 가리지 않고 순종으로 통과하고 이어지는 길로 걸었다는 사실.

몸은 고단했지만 그들의 가슴속에는 언제나 평안이 있고 하나님이 주시는 위로와 말씀이 종일 들렸다던가? 그 깊고 넓은 경험이 언제쯤이면 나도 해볼 수 있을지. 같은 천국을 향해 사는 같은 신자인데도 참 다르다. 그래도 가끔 어느 날 하루쯤은 내 주문을 접고 열어주시는 문을 지나 순종으로 살아 보기를 빈다.

'하고 싶은 말 쉰다섯 - 계산하지 않는 사랑'

이 세상에서 성공하기는 싹수가 안 보여 아예 다음 세상이라도 잘 되고 싶었다. 기껏해야 백 년, 이 땅의 생명이 그렇다. 거기 비하면 수천 년, 수만 년 셀 수 없는 시간, 흔히 말하는 영원이라는 세월을 행복할 수 있다면 그거야말로 대박 성공하는 거 맞다.

천국! 몸으로 버티는 이 세상이 지나가면 마음과 영혼으로 누리는 그 나라에서는 부디 이 땅의 삶처럼 춥고 배고프고, 외로움과 미움, 갈등, 이별과 슬픔으로 고생하지 않기를! 그럴 수만 있다면, 약속만 지켜준다면 이승의 괴로움 정도는 참을만하다.

그래서 하라는 대로 살아 보려고 결심했다. 물론 마음먹는다고 모두 잘되지 않고 무지 어렵지만. 실패와 배신의 일상을 반복하면서도 용서를 구하고 다시, 또다시, 시도하고 마음에 새기면서 노력해야 한다.

이런저런 모습으로 때도 시도 없이 몰려오는 불행과 질병을 원망하지 않으면서 살려고 참았다. 서로가 자기 이익을 먼저 챙기려고 다투다가 생기는 미움과 피해, 억울함도 그냥 꾹꾹 삼키며 살았다. 내 기분과 내 성품으로는 불가능한 나눔도 신경 쓰고 어쩌다 쥐꼬리 정도 선행이라도 베풀면 몰래 하려고 이름 안 밝히고 대가를 바라지도 요구도 안 했다.

그거 쉽지 않다는 걸 날마다 확인한다. 할 말이 산더미처럼 쌓이고 속이 부글 끓어 못 견딘다. '천국 갈 맘만 아니면…' 하루에 열 번도 팽개치고 멱살잡이도 하고 욕심으로 싹쓸이 움켜쥐었을 거다. 그걸 안 하고 살려니 많이 부대낀다. 하던 대로, 생긴 대로 살아야 편하다는 말, 딱! 맞는 말이라고 수십 번 끄덕이게 된다.

까마득한 천국 가는 공로, 그거 아무래도 다시 생각해봐야겠다. 십중팔구…가 아니라 십중십 실패할 거 같다. 계산이 잘못된 거는 아닐지 몰라도 그대로 한다고 그게 사랑이 될 리 만무니 값어치가 나갈까? 무게로 달아본다는데 공연히 헛수고에 내 몸과 맘만 고장 나기 십상이지.

예수님이 사신 그 진심, 천분의 일, 만분의 일만 살짝 느끼게 해주시면 가능할지도 모른다. 진짜 맘에서 일어나는 삶을 살 수 있을지도! 혹시…, 그거 좀 빌려주실 수 없나? 아이들처럼 되면 가능하다고 하지만 이미 어른이니 그 방법은 힘들 거 같다. 예수님, 어떻게 좀…

잘 하려고 애썼지요.
힘들어도 비관 안하고 감사만 하고
또 쉴 새 없이 많은 일을 하고
대가는 외면해야 천국 간다고…

당신은 그게 아니었는데
계산하며 우리를 사랑하지 않았는데…
주님! 어디선가부터 잃은 기쁨
다시 찾게 해주세요.

그저 기도 55 - 잃은 기쁨찾기 by 희망으로

'하고 싶은 말 쉰여섯 - 꽃의 향기는 상으로 받는 게 아니다'

인과응보

사필귀정

자업자득

권선징악

모두 비슷한 공통의미가 있다. 잘한 일에는 상이 따르고 나쁜 짓에는 벌이 온다는. 또 '심은 대로 거둔다'는 속담도 비슷하다. 그런데 하나님의 말씀 중에는 좀 다른 것도 있다.

[그 주인이 대답하여 가로되 악하고 게으른 종아 나는 심지 않은데서 거두고 헤치지 않은데서 모으는 줄로 네가 알았느냐 그러면 네가 마땅

히 내 돈을 취리하는 자들에게나 두었다가 나로 돌아 와서 내 본전과 변리를 받게 할 것이니라 하고 그에게서 그 한 달란트를 빼앗아 열 달란트 가진 자에게 주어라 - 마태복음 25:26]

하나님과 게으른 종은 같은 사실을 알고 있었다. '심지 않은 대서 거두고…' 다만 그러니 어떻게 해야 하는지 결론이 달랐다.

또 '공중의 새를 보라! 들의 백합화를 보라! 들의 풀도 먹이고 입히시거늘, 너희는 먹고 입을 것을 제발 염려하지 말고 다만 하나님의 나라가 임하기를 애쓰라! 나머지는 그저 다 주마!'라고 하셨다.

우리는 작은 소유, 작은 성공에도 으쓱한다. 모두 나의 재능과 노력으로 얻은 것이다! 라고 자랑한다. 그 논리를 따라 가난하고 병들고 불행에 빠진 사람은 무능력과 게으른 사람, 또는 버림받은 사람으로 알게 모르게 단정하고 무심코 무시한다.

들의 꽃이 향기로운 것은, 꽃이 상 받아서 그런 게 아니고 공중의 새가 먹고 사는 것도 이쁘고 잘나서가 아니다. 그런데 사람만 꼭 상과 벌의 논리에 너무 빠진다. 남은 물론 자신에게도 삶의 목표를 그 논리에 맞추고 남의 불행이나 고통을 그런 잣대로 심판하기도 한다.

그게 아니라네. 하나님께서! 그러니 풍족하여도 자신의 능력이 아니고 가난하여도 자신의 잘못 때문만은 아니라는 더 큰 잣대를 잊지 말고 살아야겠다.

'다만 너희는 그의 나라와 그의 의를 구하라! 서로 돕는 사랑과 정의로운 세상을 앞에 두고 살면 나머지 먹고 입는 그 모든 것은 거저 주시겠다!'

'하고 싶은 말 쉰일곱 - 회복'

어디서 어떤 방향을 보느냐에 따라 대상의 모양이 다르게 보인다.

마치 물이 절반 담긴 컵이 보는 이의 마음에 따라 남은 양이 달리 보이듯. 생존에 쫓기는 사람의 여유로는 '참 아름다워라 주님의 세계는~' 이라는 가사와 그 노래가 와닿지 못하는 게 현실이다.

'솔로몬의 옷보다 더 고운 백합화'도, '주 찬송하는 듯 저 맑은 새소리'도, 낯선 세상의 몽유도원도가 되기도 한다.

그러나 정말 행복 하려면 그 못 보는 세상이 보여야 한다. 정말 만물을 볼 때마다 감사를 느낄 수 있다면 나의 생존이 얼마나 더 풍요해질까? 가슴 설레며 기도하게 된다.

'주님, 회복의 은총을 주소서!'

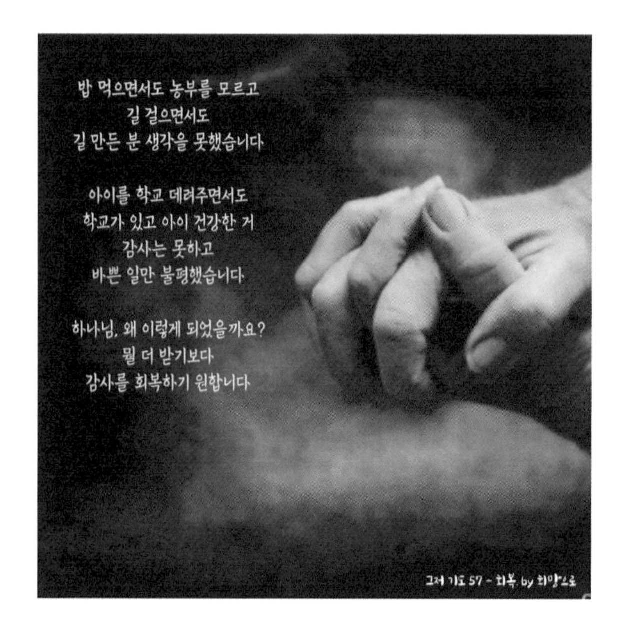

'하고 싶은 말 쉰여덟 - 함께 기뻐하는 복을 기다리며'

사람들이 달라는 대로, 원하는 대로 다 들어주신다면 그게 무슨 하나님일까? 사람의 심부름꾼이지. 요술램프 지니는 짠! 하고 나타나면 하는 말이 '주인님! 부르셨어요? 무엇을 해드릴까요?' 한다. 정작 그 주인은 못 하는 걸 다 해주는 램프요정 지니가 꼴랑 낡은 냄비나 문지르는 무능력한 사람에게 말이다.

새벽부터 밤늦도록 종일토록 빌고 비는 목 졸린 사람들의 소원을 하나도 안 들어주는 그런 분은 또 뭔 심술궂은 하나님일까? 도대체 바람에 떠밀려 살아가는 가소로운 인생을 외면하는 신은 인간하고 무슨 상관일까? 맨날 복종과 제사만 요구한다면 하나님이고 뭐고

다시 생각해볼 일이고 신뢰가 안 갈 수도 있다.

그러니 하나님 노릇 하시기가 참 쉽지 않겠다 싶다. 소원을 들어줘도, 혹은 안 들어줘도 문제가 생기니 하나 건너 하나, 아니면 복걸복으로 뽑아서 인생들을 돕거나 외면하거나 해야 하나?

맨날 행복하게 살 수도 없고 맨날 독하게 이 악물고 사는 것도 힘들고, 그저 바라는 것은 하나님과 우리가 함께 기뻐하면서 살 수는 없을까? 내 소원이 이루어지면 하나님이 기뻐하고, 하나님의 뜻이 이 땅에 임하면 우리가 같이 기뻐하며 하루씩 사는 그런 날! 하도 살기가 어수선해서 가져보는 꿈이다.

하나님이
여기 계신다! 저기 계신다! 하는데
정말 당신은 그곳에 계신가요?
사람들은 저 산지를 달라하고
또는 내 가족의 안녕만을 달라고 빕니다
정말 당신은 늘 사람들의 주문대로 주시나요?
제 마음은 당신이 좋아하는 곳에 계시고
다만 우리와 함께 자주 기뻐하시길
바랄뿐입니다

그저 기도 58 - 당신의 뜻대로 by. 희망으로

'하고 싶은 말 쉰아홉 - 나는 바담 풍해도 너는 바담 풍해라?

본래 속담은 이렇다. '나는 바담 풍 해도 너는 바람 풍 해라' 고려어학 대사전에는 이렇게 나오기도 한다. '선생은 바담 풍 해도 제자는 바람 풍 해라'

그런데 발음에 문제가 있는 사람이 처음에 바담 풍 했는데 두 번째 발음이라고 제대로 '바람 풍' 이라고 할 수가 있을까? 속으로, 또는 머리로는 뒤의 바담 풍을 바람 풍 이라고 발음한다며 애쓰고 하겠지만 다른 사람에게 들리는 발음은 똑같은 바담 풍일 수밖에 없다. 안 그랬으면 진작부터 제대로 발음했을 것이고 제자들이 바람 풍이라고 제대로 배웠을 거다. 그러면 이런 속담이 태어날 일이 없었을 거다.

어느 날 나는 같은 병실의 다른 보호자에게 좋은 말을 열심히 하는 내 모습에 스스로 깜짝 놀랐다. 여러 위로의 말, 희망의 말을 진지하게 신념에 가득 찬 사람처럼 말하고 있었다. 문제는 정작 내가 좌절할 때는 그 말의 내용을 안 믿고 그러니 아무 도움이 안 되어 괴로워 해놓고 말이다. 그 고상한 말로도 내가 나를 위로 못 하면서 남에게는 백번 지당한 귀한 위로처럼 내밀었다니.

돌아보니 그것만이 아니었다. 내가 먼저 일상을 감사하지 못하면서 남에게 일상을 감사하라고 하고, 내가 기쁨으로 하루를 보내지 못하면서 남에게 기쁘게 하루를 살아야 한다고 그렇게 말하고 살았다는 사실을 알았다. 특히 24시간 일년 365일을 같이 산 아내와 아이들에게 그랬다는 민망함을 어쩌지? 그들은 누구보다 나의 순간순간 좌절과 불신과 탄식들을 지켜본 사람들인데.

왜 그랬을까? 왜 나는 못 믿고 좋은 말에도 힘을 얻지 못했을까? 곰곰이 생각해보니 오래된 지병 같은 이유였다. 그 바닥에는 많은 슬픈 이유가 있었겠지만 어쩌면 내 속의 많은 가시와 조각들 때문일 거다. 살면서 쌓인 나쁜 기억들이 남긴 감정의 앙금들 그것들이 아무도 믿지 못하고 경계하도록 했다. 나 자신만 의지하고 내 힘으로만 생존해야 한다고. 스스로 문을 닫고 울타리치고 산 세월에서 온 결과다.

우선 내 속의 열등감 미움 아픔을 인정하고 하나님께 문을 열고 다 내어 드리고 싶다. 그래서 봄날 눈 녹듯 평안해진 마음으로 그 가시들을 먼저 이겨내도록... '도와주세요! 주님...'

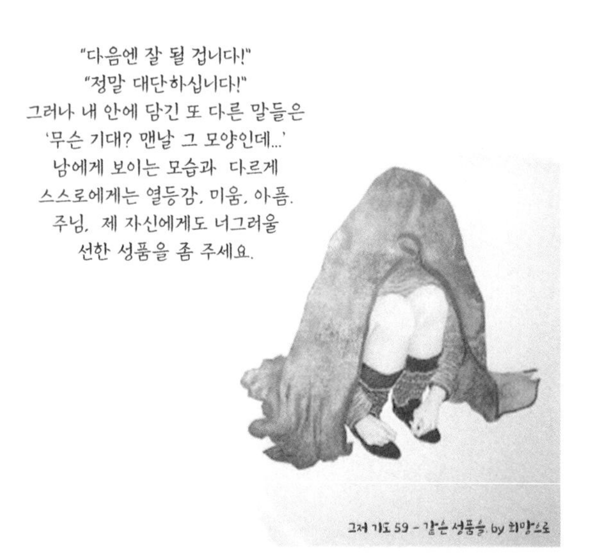

'하고 싶은 말 예순 - 숨은 사랑'

종종 몸을 지키려고 시작한 걷기운동이 마음도 함께 지켜주는 경험을 한다. 좀 빠른 듯 타박타박 두 시간 가까이 걷고 나면 땀이 나고 갈증이 나기도 한다. 세상에서 가장 맛있는 것이 목마를 때 물 한 컵인 것을 늘 경험한다. 이상 없는 건강이 가장 고맙게 와닿는 시간이 몸 아프고 나아진 바로 그 순간인 것과 비슷하다.

놀라운 사실 하나는 우리가 피하고 싶었던 어떤 순간들이 지나고 나서 우리에게 가장 잊지 못할 기억으로, 또는 기쁘고 감사한 추억으로 남더라는 거다.

종종 이런 짐작을 해본다. 우리가 가장 필요한 것을 구하게 하려고 하나님은 우리를 지독히 가난하게 하시거나 바닥나도록 결핍되게 하시는 게 아닐까 하는 생각을. 너무 크고 너무 넓은 숨은 사랑은 그렇게 드러난다. 일상에서 힘들고 아쉬울 때, 더는 견딜 수 없다는 신음이 터져 나오는 고난 중에 두렵고 외로울 때 부르다 만나는 은총으로.

내 몸이 아픈 것은
서로를 더 돌아보라는 신호
내게 오는 외로움은
사람들에게 더 친절하라는 명령
몸과 마음이
무너질 것 같은 두려움은
더 다가오라는 부르심이지요?
오늘도 저를 붙잡아주심을 감사합니다

그저 기도 60 - 숨은 사랑. by 희망으로

'하고 싶은 말 예순하나 - 고난은 미리 하는 도움 훈련'

어느 날 아내와 같은 난치병에 걸린 사람이 나에게 물었다. 신경이 마비되어 소변이 나오지 않아 어떻게 해결해야 하는지를. 필요한 의료용품은 어디서 어떻게 사야 하고 무엇이 좋은지, 가격과 사용법, 그리고 무엇을 조심해야 하는지 등

도통 모르는 사람은 그 모두가 무겁고 슬프고 머리가 아프고 한숨이 저절로 나올 일이다. 십여 년 전 나도 모든 것이 처음 접하는 낭패를 하나씩 장님 길 가듯 더듬거리며 물어가며 시행착오를 반복하면서도 해결해나갔다. 지금은 익숙하고 잘 아는 상황이 되었지만 그때 그 기억은 끔찍했다.

그분께 작은 도움도 되고 어깨의 짐을 내리는데 한몫을 하게 되는 건

순전히 지난날 경험 덕분이다.

내게 주어진 그 상황을 견딘 그 훈련이 오늘은 누구를 돕는 바탕이 되고 힘든 마음을 이해하는 공감의 배경이 되었다. 부모가 살아 본 어린 시절이 자녀를 이해하고 사랑할 수 있는 기본이 되었던 것 같이.

내게 고난 오는 건
도움 필요한 사람 만나면
서로 작은 짐 들어주며
같이 가라는 훈련인거지요?

'하고 싶은 말 예순둘 - 길'

탯줄이 아닌 이상한 줄 하나, 그 끝에 바위가 매달린 듯 무거운 근심을 끌고 앞으로, 앞으로 낑낑 매며 스스로 출발하지 않은 길을 간다. 툭! 원치 않았는데도 세상에 던져진 생명으로

살다 보니 또 그런 데로 적응한다. 꼭 내 능력이나 대가로 얻지 않은 행복도 마치 본래 가져온 내 것 인양 자랑도 하면서. 꿈인지 욕심인지 뒤섞여 분간 못 하고 가끔은 엉망인 설계도를 놓고 헛일한다.

주님이 함께 가지 않으면 참 슬픈 길인데 그 길은 잘 가도 못 가도 불행해질 길인데 엉터리 지도를 모르고 따라가는 꼴이다. 꼭 내 앞의 가이드가 되시고 안전을 지켜주소서!

어느 날 불쑥 앞에 놓인
삶이라는 그 길
때론 계산이 욕심으로 변해
터무니없이 엉터리입니다.
눈 어두워 실족하지 않도록
끝날까지 지켜주소서
그저 기도 62 - 길. by 희망으로

'하고 싶은 말 예순셋 - 먹구름 위에 햇살 있음을 아는 것'

'이 또한 지나가리라'

세상의 모든 일은 어느 때는 지나간다는 그 법칙을 모르는 사람이 있나? 아무리 기쁜 일도 그렇고 반대로 슬픈 일도 서서히 바랜 벽지처럼 흐려진다.

사람은 누구 한 명도 예외 없이 모두 사라지고, 아무리 사랑하고 미워했던 이조차 언젠가는 잊히는 그 세상의 법칙을 우리는 모두 안다.

그래도 우리는 매번 그 순간마다 그걸 마치 부인하는 사람처럼 매달린다. 지나고 돌아보면 다 그렇게 지나가더라고 하면서도 그 당시는 절대로 못 그럴 거라고 맹신에 붙잡힌다. 그래서 세상에는 새것이 없고 모두 허무하다는 전도자의 말도 믿지 못하며 마음을 소모한다.

기쁜 일은 영원히 갈 것 같이 과장하고, 슬픈 이별은 자연스럽게 흘려 보내지 못한다. 자주 흥분되고 분노하고, 슬퍼하고, 걱정하며 아무 이득 없이 온갖 진을 빼며 그렇게 보낸다. 해 아래 새것은 없고 오직 반응하는 우리 감정뿐인데 그걸 조금만 더 인정했더라면 조금은 덜 집착하고 더 오랜 시간을 평안과 여유로 보낼 수 있었을 것을.

그래도 오늘도 내일도 조금씩 나아질 거다. 온갖 먹구름이 몰려와도 그 멀리 위에 햇살 있고 마침내는 우리가 영원한 자유를 얻는 그날이 온다는 하나님의 약속과 가르침을 믿기 때문이다.

감정은 발목을 잡고 우리를 괴롭히기도 하지만 은혜로 부름을 받은 우리의 생각과 마음은 올무를 끊고 먹구름 위에 해가 나고 있다는 진리를 점점 확신하게 된다. 신앙은 날마다 그렇게 조금씩 더 믿어가는 훈련입니다.

먹구름은 가깝고
푸른 하늘은 멀리 있습니다.
우리는 압니다.
그 위에 햇살 있음을 알듯
고난이 지나면
감사할 일이 온다는 것을
그때까지 잊지 않고 살게 해주소서!

그저 기도 63 - 햇살. by 희망으로

'하고 싶은 말 예순넷 - 산을 없애지 못하여 넘는다'

산을 갈 때마다 자주 느끼는 것 하나, 산을 넘으면 또 산이 있고 그 너머 또 산이 있다는 것. 금방 오를 것 같은 정상은 또 저만큼 멀어진다는 것도. 우리나라 산의 특징은 우리네 삶과 무지 닮았다.

가지 많은 나무 바람 잘 날이 없다고 옛 어른들이 자주 말할 때는 그냥 자녀들 많이 키우면서 습관처럼 하는 고단함에 대한 푸념이려니 흘려들었다.

그런데 내가 나이 들어가며 뒤를 보니 딱 그랬다. 어느 하루도 종일 편하기만 한 날이 없었다. 가족 중 누가 아프거나 궂은일이 교대로 오면 마음이 편치 않아 굳은 얼굴과 찬바람을 일으켜 나쁜 바이러스처럼 안 좋은 기운을 옮기곤 했다.

그래도 참 꿋꿋하게 우리는 살아간다. 마치 천직인 직장을 다니는 사람처럼 무던히 날마다 일어나 아침부터 저녁까지 살아내곤 한다. 그러나 아무리 대견하고 성실한 사람도 그런 나날을 맞이하기를 원하는 사람은 없을 거다. 다만 눈뜨면 삶이 아침처럼 다가오니 살 뿐이지.

앞에 놓인 산을 없앨 수 없다면, 또 피하지도 못한다면 넘어갈 수 있는 체력과 용기라도 주시길 구한다. 애당초 세상에 올 때 불어주신 생기 같은 에너지와 순종과 인내의 본능을 깨워주시길 빈다. 든든한 갑옷이라도 입어야 유리 파편처럼 날려오는 날카로운 세상 길을 끝까지 걸어갈 테니까.

고난이 직업이고
실패가 일상이기를 바라는
사람은 없습니다.
좌절에도 포기하지 않는
신앙인의 믿음을
갑옷과 방패로 주세요.

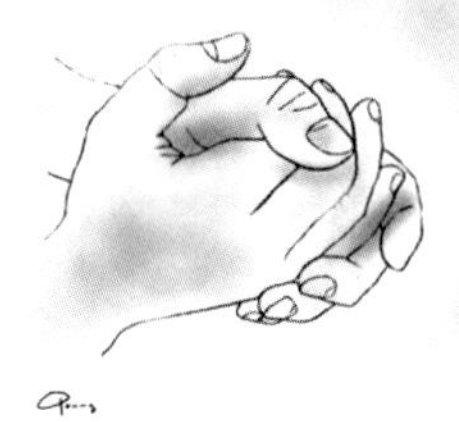

그저 기도 64 - 신앙인 by 희망으로

‘하고 싶은 말 예순다섯 - 나에게 있는 것’

임대계약을 다시 2년 연장하면서 아픈 아내가 없으면 집을 비워줘야 한다는 LH 자격 안내문을 보게 되었다. 읽다가 문득 예상보다 더 빨리 나도 이 땅에서 떠나는 날이 올지도 모른다는 그런 생각이 불쑥 들었다.

둘이 사는 살림에서 혼자로 줄였다가 다시 그것마저 모두 정리하는 그날이 오면 지금 가진 많은 자질구레한 살림들이 모두 자녀 누군가에게 일거리만 된다는 민폐임을 느끼고 짐을 줄이기 시작했다. 정말 가진 것이 없이 다 버렸던 지난 세월인데 그런데도 치우고 나누고 없앨 깃이 너무 많아졌다.

평생 가난하여 아무것도 없다고 민망했는데 그렇지 않다는 사실을 깨달았다. 최소한의 욕심, 그것도 결코 작은 게 아니라는 것. 가난하다고 풀죽은 마음도 틀렸었고 가벼워서 바람처럼 떠날 줄 알았던 것 착각이 었다. 사실은 세상에서 참 많은 걸 받으며 살았다.

아무 것도 남지 않았다고
그렇게 슬퍼하며 풀죽어 살았지요
아는 분께 책 하나를 선물했더니
기뻐하는 걸 보며 알았습니다
아직도 내게는 줄 것이 있다는 걸
주님, 감사합니다!

그저 기도 65 - 내게 있는 것 by 희망으로

'하고 싶은 말 예순여섯 - 오늘도 나의 하루는'

이전에 어느 병원에 있을 때다. 하나님을 믿지 않는다고 큰소리치는 분이 있었다. 그는 아침이면 다른 사람들에게 늘 말했다.

'오늘도 큰복 받으시고 성공합시다!'

마치 무슨 자동차 영업부 아침조회 시간처럼. 그분도 아픈 환자를 돌보는 가족 보호자였다. 병실 특성이 하루도 안 아픈 사람이 없는 우울하기 쉬운 장소인데도 덕분에 기운이 밝아졌다.

그 와중에 나는 움찔 뭔가 들킨 사람처럼 놀랐다. 낙망하고 지쳐서 비관이 가득한 한숨을 쉬다가 '명색이 신앙인인 내가 저분보다 못하네…' 그런 자괴감이 들어 민망도 하고 반성도 했다.

40년을 교회 문지방을 부지런히 넘어 다녔고 설교는 몇 번 들었는지,

눈물로 찬양은 몇 번 했는지 셀 수도 없을 정도로 긴 세월을 보내고도. 나의 하루는 어젯밤에 이어서 여전히 낙망하고 아직도 오지 않은 문제까지 근심하며 수시로 쫄보가 된다. 문득 그분의 말에 도전을 느끼며 스스로 추스른다. 세상에서 복을 기다리는 사람도 저리 열심인데 보이지 않는 복을 받겠다는 소위 믿음의 사람인 내가 풀 죽어 하루를 살 수는 없잖아? 쪽팔리게!

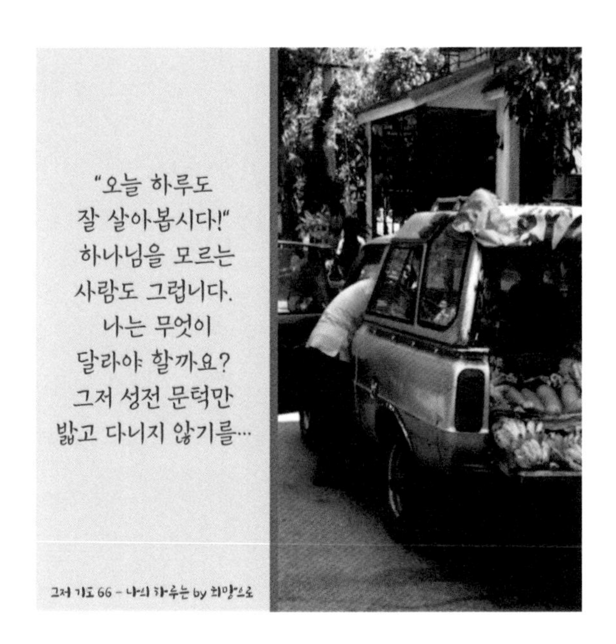

'하고 싶은 말 예순일곱 - '잠잠히 사랑하는 힘'

오랫동안 이 말이 이해되지 않았다.

'기쁨을 이기지 못하시며 너를 잠잠히 사랑하시며…'

기쁨을 참지 못할 정도인데 어떻게 잠잠히 사랑을 하실 수 있지? 혹시… 경상도 하나님이신가?

내 아이들이 자라서 성인이 되고 나서야 알았다. 어릴 때는 묻지도 않고 수시로 안아서 들어 올리고 별일 아닌 것에도 지나칠 정도로 말 칭찬을 했다. 이제 나이가 많아지고 성인이 되면서부터는 어른 대접을 하느라 내 표현이 달라졌음을 알았다.

그래도 내 속의 기쁨과 응원은 질적으로는 변함이 없고 오히려 직접 바로 표현해 주지 않게 되면서 내 아이들은 그런 이유는 꿈에도 모르고 겉만 보고 사랑이 변했다고 오해할 수도 있지만.

하나님도 그런 심정 비슷하신 걸까? 처음 초신자의 어리석음에서 조금씩 변화되는 우리를 대견히 귀하게 여기면서 속으로 갑절 더 기뻐하시고 돌아서서 안보이는 곳에서 노래까지 부르며 신나시는 거? 어쩌면 그럴지도 모른다는 짐작을 하면서 맘이 기뻐졌다. 나도 그런 깊고 듬직한 사랑법을 배우고 싶다. 오래 지켜보며 작은 실망에도 흔들리지 않으면서 입가에 잔잔한 미소를 짓는 바위같은 사랑을!

기쁨을 이기지 못하시는데
고작 잠잠히 사랑하시는 당신
잠잠히는 변치 않는다는 다른 표현이고
일생을 눈 떼지 않는 말임을 몰랐어요
저도 요란하지 않고도
잠잠히 사랑하는 힘을 주세요!

그저 기도 67 - 잠잠히. by 희망으로

'하고 싶은 말 예순여덟 - 아직도 올리는 민망한 소원'

많은 사람에게 인기 좋은 사람을 보면서 감탄하면서도 동시에 자신을 돌아보기도 한다. '왜 나는 남들에게 무지 사랑받지 못할까?' 그런 생각에 가끔은 아쉽고 작아지기도 한다.

그러다 또 다른 하나의 생각이 들었다. '왜 나는 모든 사람을 좋아하지 못하지?' 돌아보니 나는 참 까탈 부리고 너그럽지 못하여 남을 좋아하지도 못하는 그런 뾰족한 사람이었다. 남들에게 인기가 좋고 사랑받는 것은 못 해도 내가 남들을 많이 좋아하고 모두 사랑하는 것은 순전히 나에게 달린 가능한 일인데도 말이다. 곰곰 살펴보니 그럴만한 이유가 있었다.

순전히 내 기준으로 이런저런 싫은 이유가 많고 그 때문에 싫은 사람도 무지 많았다. 내 감정만으로 선택한다는 것은 내 울타리가 좁아지는 불행한 결과를 불러오는데도 안 고쳐졌다. 누군가는 그런 내가 싫다는 이유로 나를 떠나고 아니면 상대가 싫다는 이유로 내가 등을 돌리곤 했다. 세상 인류 모두를 품에 안아주시는 예수님은 얼마나 넓어서 가능할까? 매년 새해가 오면 올리던 너그러워지자든 이 소원이 이제 어른이 된 이후만으로도 마흔 번을 넘는다. 아직도 새해만 되면 첫 번째로 올리는 기도 소원이라니 이제는 민망해서 남 앞에서는 속으로만 한다.

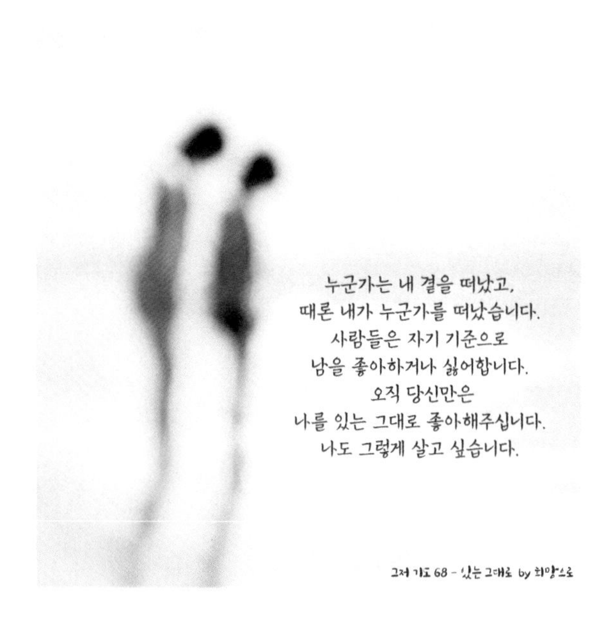

'하고 싶은 말 예순아홉 - 섬으로 살아도 혼자는 아니다'

내 몸을 통해 내가 낳은 내 자식도 내 바람대로 안 되고 내가 말하는 대로 살아줄 수는 없다는 걸 경험한다. 내 품 안에 있을 때는 나를 하늘같이 보던 그런 아이들도 어른이 되면 알게 된다. 내가 자기들과 별로 다르지 않은 하나의 섬인 것을.

심지어 겉으로 보기는 비슷해 보여도 하나하나 모든 섬은 하나도 같을 수 없다. 단 하나뿐인, 그래서 섬일 수밖에 없다. 사람과 사람 사이에는 뛰어 건널 수 없는 넓고 깊은 큰 물길이 흐르고 있다.

심지어는 사람과 하늘 아버지 사이도 그렇다. 하나님도 배반의 삶을 사는 인간이 미워 홍수와 유황불을 사용한 때도 있었다. 아버지와 자녀

둘 중 누구 책임이 더 클까? 만든 대로 살았는데 나빠졌다면 아버지 책임이고 하고 싶은 대로 자유를 누리다 그랬다면 자녀의 책임이다.

그래도 우리는 깊은 아래 하나로 이어진 하나의 큰 대륙에 발을 딛고 선 섬들이다. 그것은 변하지 않고 부인할 수 없는 진실이다. 또한 서로 복제품이 될 수 없는 섬이라 더 귀하고 그것을 인정하기에 오히려 서로 품어야 한다. 그 외롭고 각각의 자유가 만들어가느라 생기는 온갖 행복과 불행, 그런 운명을 만나면 법을 뛰어넘는 사랑 아니면 견딜 수 없기 때문이다.

우리는 각자의 섬이지만 닮았다. 그래서 우리는 서로의 섬을 바라보며 빌어야 한다. 반가운 사람아! 내가 너를 사랑하노라! 라고. 그리고 우리는 섬으로 살아도 혼자가 아니다! 라고.

사람은 하늘 앞에서
모두 하나의 섬들입니다
나는 모자란 심성을 가진 섬
비슷한 섬끼리 만날 때
반기며 환대하게 해주세요!
그저 기도 69 - 섬. by 희망으로

‘하고 싶은 말 일흔 - 멀어져 가는 것도 사랑하기’

‘점점 더 멀어져 간다. 머물러 있는 사랑인 줄 알았는데~’

김광석의 ‘서른즈음에’ 가사를 속으로 부르며 점점 변해가는 딸의 십대 성장기를 지켜보았다. ‘아직 서른도 아니면서…’ 빨리 독립하는 딸이 서운해 가슴속 한쪽에 바람이 지나가곤 했다.

머물러 있으면… 그게 탈이 난 거고 그건 생명이 아닌 죽음의 증상인데도. 난 왜 그랬을까? 왜 섭섭했을까?

자녀에 대해 차분히 깊이 생각해보니 내 사랑법이 문제가 있었다.

아이들이 어릴 때는 내가 마음대로 맘을 주고 내 마음대로 아이들의 미래를 기대했다. 그 잣대로 자랑스러워하고 실망도 했다.

그러나 성장할수록 그 관계는 어려워졌다. 이제는 아이들이 좋아하는 것을 나도 좋아하고 아이들이 바라는 것을 나도 바라야 관계가 유지된다.

서로 입장을 바꾸어 생각해보면 더 분명하다. 만약 아이들이 자기 기준으로 나를 강요하면 내 삶과 내 감정과 평안은 사라질 거다. 어쩌면 그 순간부터 지옥이 될지도 모른다.

그런 생각에 미치자 변화를 수용하게 되었다. 이제야 서로 제 자리에서 사랑하는 단계다. 있는 그대로, 있는 생명 자체를 사랑하는! 부디 그 변화에 적응하도록 도와주소서! 하나님이 우리에게 그렇게 기다려주시고 변해가는 단계를 하나씩 수용해주신 것처럼!

'하고 싶은 말 일흔하나 - 흐린 날 뒤에 올 맑은 바람이 그립다'

가장 맑은 날씨를 느끼는 순간은 비가 온 후 잠시 지났을 때다. 맑게 갠 하늘이 주는 청량함은 정말 좋다. 가장 깨끗한 하늘을 보는 것은 차갑고 아주 낮은 영하의 겨울이다. 그때의 하늘은 투명한 얼음 같다. 비가 오는 과정에는 질척거리고 혹한의 겨울은 불편하지만 그 뒤에 만나는 맑은 기분은 참 좋다.

영어 속담에 이런 말이 있다. No rain no flower!

비가 없으면 꽃도 없다는 말은 맞는 말이다. 우여곡절이 많을수록 뒤에 얻어지는 성공과 슬픔이 걷어진 후의 기쁨은 정말 크게 느껴지듯.

자연의 법칙과 삶의 법칙은 닮았다. 두 세계가 가진 안 보이는 생명은 다르지만, 그러나 살아 있다는 공통점이 비슷하다.

내 안의 날씨를 주관하는 하나님께 흐린 날에 이어 올 맑은 기운을 빈다. 흐린 삶에도 이어지는 희망과 위로를 빈다. 내 영혼에 햇빛 비치는 찬란한 은총, 순전히 값없이 주어지는 은혜의 법칙이 고맙다.

'하고 싶은 말 일흔둘 - 내가 약할수록 기다려주시는 하나님'

아침에 눈 뜨면서 이렇게 살겠다고 한 말을 밤 잠들기 전 지켰다고 감사드릴 수 있다면, 일 년이 시작하던 날 고백하며 드린 서원을 일 년의 마지막 날까지 살아낼 수 있다면? 그러면 모든 시간이 끝날 때 얼마나 기쁠까?

늘 그렇지 못해 아쉽고 민망하고 작아진다. 마음이 가난해져야 하는데 믿음이 가난해진다. 성결하게 살고 싶고 평안을 유지하고 싶은데 욕망과 몸의 본능은 결코 그걸 허락하지 않는다.

귀는 좋은 말을 수집하듯 듣기만 좋아하고 입은 화려한 말을 책임지지 않고 마구 한다. 최대한 안 하려 애쓰기보다 쉽게 포기하면서 마음의

원을 육이 거스른다며 말로만 탄식한다.

정작 우리에게 주어진 행운은 따로 있다. 하나님은 연약한 자를 품어 주신다. 또 다 알면서도 모르는 척 일곱 번씩 일흔 번 용서한다. 그뿐만 아니라 미운 놈 떡 주듯 행운을 추가하신다. 나에게 허락하신 배우자와 자녀와 친구들에게 나의 연약함을 비난하거나 조롱하지 않고 변화를 기다려주는 너그러운 성품을 주는 것이다.

내가 상식적인 인간이고 염치가 남은 정상인이라면 그 값없이 주시는 은총에 눈물로 감사해야 한다. 그런데도 종종 당연한 듯 받고 때론 부족하다 떼쓴다.

'부디 저를 용서하시고 제게 주신 좋은 이웃들처럼 저도 그들의 너그러움을 닮고 본받아 변하게 해주소서! 그래서 주위의 연약한 사람들을 품고 살게 해주소서!'

아주 짧은 순간이라도 한 번은 그렇게 살아 보고 최소한 한 명 이상에게는 그러다 가야 하지 않을까?

남에게 좋은 말은 다하고
돌아서서는
내가 더 가난한 신자가 됩니다
힘든 분께 평안하라 말하고
나는 내일의 불안에 우울해집니다
하나님! 당신이 꼭 필요합니다
저를 잡고 품고 가주소서!
그저 기도 72 - 약한자의 하나님. by 희망소요

'하고 싶은 말 일흔셋 - 세상에서 가장 큰 기적과 행복은?'

어느 날 갑자기 악몽처럼 들이닥친 '희소 난치병'에 걸려 사지마비가 된 아내, 거의 2년을 큰 나무토막 송장처럼 아내는 침대에서만 지내야 했다. 지겹게 같은 일과를 반복하던 재활치료의 병원 생활 중 어느 날 거짓말처럼 손가락 끝이 꿈틀거리더니 어느 날은 귤 하나를 다 뭉개며 껍질을 깠다. 나는 그 귤을 받아 입에 넣으며 눈물을 함께 삼켰다.

그러던 아내는 또 다른 꿈틀거림을 시작했다. 어느 날 한쪽 손에 필기구를 끼우고 묶어 움직이더니 손가락 사이에 쥘 정도로 움직일 수 있게 되었다. 그리고 글씨가 아니라 그림을 그리듯 이마에 땀을 흘리며 작은 수첩 용지에 간신히 몇 글자를 썼다.

'고마워요'

아내를 돌보느라 지친 나에게 보여주고 싶었다고, 힘을 쓰느라 벌개진 얼굴에 땀범벅인 아내는 말했다.첫 책으로 낸 간병일기 '그러니 그대 쓰러지지 말아' 책에 출판사는 이 그림 같은 글씨를 넣어주셨다. 내 마음에는 책보다 열배 백배 더 진하고 깊이 새겼다. 온몸이 나무토막처럼 되어 대소변을 남에게 맡기고 떠주는 밥을 먹으며 버티는 처지에 무엇이 고맙다고…

사람들이 감사와 원망을 선택하는 갈림길은 어떤 사람, 어떤 상황, 언제와 비교하느냐에 달렸다. 삶은 비슷한 일도 누구는 원망하고 누구는 감사한다.

기적 중 가장 큰 기적은 사랑하는 이들 곁에 살아 있음이고 그 자체만도 고마워하며 사는 것은 더 큰 기적이다! 진심으로 고마움을 느끼고 밖으로 말할 수 있는 사람은 세상에서 가장 행복하고 평안을 누리는 아름다운 사람이다!

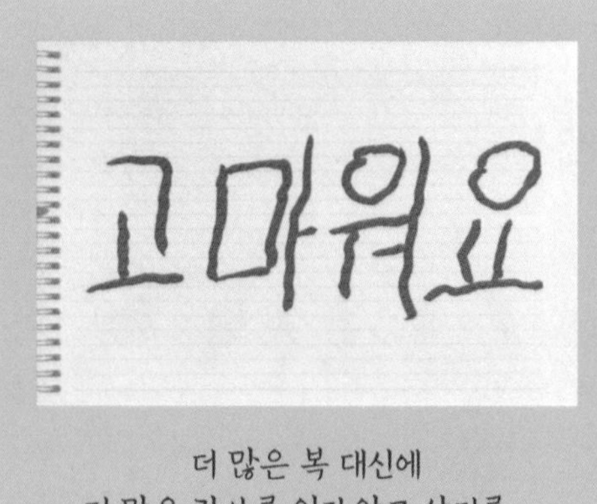

더 많은 복 대신에
더 많은 감사를 잊지 않고 살기를…
아무리 채워도 늘 모자라지만
가장 큰 기적, 지금 살아 있음을
감사드립니다

그저 기도 73 - 큰 기적. by 희망소로

'하고 싶은 말 일흔넷 - 더 잘하지 못 해도'

올림픽의 꽃으로 불리는 마라톤은 이기는 목적, 승부 욕보다 끝까지 달리는 완주를 더 가치 높게 본다. 참가에 의미를 둔 올림픽 정신처럼. 신앙인도 어떤 점에서는 비슷하다. 죽은 이후 천국 가는 게 신앙의 참 목적은 아니다. 살아 있는 동안 천국을 갈 만큼 바르고 선하게, 이웃에게 유익한 삶을 살아야 한다.

사는 동안 숱하게 많은 유혹과 욕망에 마주치고 누군가의 어려운 처지를 보고 스치게 될 거다. 남에게만이 아니라 자신에게도 해를 끼치거나 거짓으로 살거나 정의를 벗어난 삶을 살면 안 된다. 그건 이미 이 땅에서 신앙인의 자격이 없는 거다.

그럼에 불구하고 잘못을 인정하고 돌아서서 늘 새로 시작하는 것을 신은 허락한다. 용서할 뿐만 아니라 위로와 격려를 해주신다. 마치 재산을 탕진하고 돌아온 거지 둘째 아들을 버선발로 마을 입구까지 나가 맞이한 아버지처럼.

우리는 우리의 약함과 실패로 포기할 것이 아니라 과정과 최선을 높이 사는 마라톤처럼 길게 꾸준하게 사는 게 더 값진 태도다. 한번 넘어졌다고 마라톤을 포기하고 드러누운 채 시간을 다 보낼 수는 없다. 죽음 후의 천국과 지옥이 문제가 아니고 이미 이 땅에서의 불행이고 좌절이며 부끄러움이기 때문이다. 기쁨과 감사와 행복을 상실한 무덤이 되기 때문이다.

끝까지 견디고
변하지 않아야
신자로 인정도 받고
천국도 간답니다
여기까지 오기도
참 힘들었는데…
어느 날
더 잘하지 못하더라도
불쌍히 여기고
품어주소서.

그저 기도 74 - 끝까지. by 희망으로

'하고 싶은 말 일흔다섯 - 생존의 필수품은 자존심과 희망'

근심과 욕망은 많은 소유보다 힘이 쎄다. 그래서 아무리 많이 가지고 높이 올라가도 언제나 근심이 사라지는 날이 없고 더 이상 배고픔 없는 풍족한 순간이 오지 않는다. 근심과 욕망, 그 바닥과 넓이를 측정할 수 없다.

그래서 높은 궁전의 화려한 왕도 백성보다 근심이 많았고 창고를 많이 가진 부자가 오두막 안에서 가족들이 저녁을 먹으며 웃음꽃 피우는 만족을 따라가지 못했다. 모든 권력과 영화를 주고도 근심을 없애지 못했다. 아무리 많은 재산을 물려주어도 자녀들은 행복하지 못하고 더 많이 가진 누군가를 부러워하며 웃지 못했다.

현대 사회에서 스스로 극단적인 죽음을 선택하는 많은 사람이 실재 돈과 음식이 없어서 죽는 경우보다, 그것들이 바닥나서 죽을까 봐 두려움 불안으로 미리 극단적 선택하는 경우가 많다. 생존이라는 심리적인 두려움을 걷어내면 우리의 현실 수준을 살펴보면 최악은 아니다. 얻어먹어도, 혹은 최소한의 노동을 통해서도 생존은 된다 물론 심각한 질병이나 특수한 상황에 빠졌을 때를 제외하고. 교도소에서도 밥은 먹고 노숙을 해도 생존은 가능하다.

그러나 사람은 그보다 귀한 자존심과 희망을 품고 산다. 그것이 무너지면 결핍으로 죽기 전에 살 의욕이 죽는다. 귀한 자존심과 희망은 하나님에게는 넘치는 기본 공급품이다. 하나님 앞에서 사실을 인정하고 도움을 청하면 가리지 않고 묻지도 따지지도 않고 주신다. 밥이나 돈이 아니라 생명의 귀한 자존심과 희망을!

그거면 아무리 가진 것이 없어도 지위가 낮아도 웃으며 살고 매사에 감사할 수 있다! 나는 그렇게 살아 보았고 증인이 될 자신도 있다!

밥 굶지 않고 헐벗지 않았는데
근심이 몰려옵니다.
뚝 떨어진 금덩이도 없는데
평안이 조용히 속에서 퍼집니다.
다른 것이 있다면
당신이 믿어질 때와
믿어지지 않을 때 그 차이
부디 믿음을 주소서!
그저 기도 75 - 믿는 차이. by 희망스쿨

part 4

그저 모든 것이 감사해서 드리는 기도도 있다

76.은총 / 77.듣기 시험 / 78.감당하기 / 79.둔한 시력 / 80.염치 / 81.아버지 / 82.추가로 구하는 것 / 83.염치2 / 84.동행 / 85.하나님은 궂은 일도 사용하신다 / 86.종일내내 당신 생각 / 87.늘그막에 생긴 막내아기 / 88.범사에 감사할 이유 / 89.부르고 싶은 이름 / 90.잘 사는 단순한 비결 / 91.야단맞을 때는 더 가까이 / 92.대접받고 싶은가? / 93.현대판 아나니아와 삽비라 / 94.약하고 바보지만 소원이 있다 / 95.고장나지 않은 부모의 사랑 / 96.기도하면서 회복하는 것 / 97.잘 안되는 것 중 하나 / 98.내가 나를 죽이지 않도록 / 99.잃고나서야 아는 것 / 100.대신... 하늘나라는 주셔야지요?

‘하고 싶은 말 일흔여섯 - 은총’

‘주무시나요? 왜 안 들어주시나요?’

처음 아내가 희귀난치병 진단을 받고 온몸이 나무토막처럼 마비되었을 때 정말 밤낮없이 종일 기도했었다. 그렇게 한 달 가까이 되었을 때 내 몸은 마른 가지처럼 살이 빠져 뼈만 남았고 내 건강을 걱정한 영양학을 전공한 기도원 원장님은 정작 아픈 아내보다 보호자인 내가 더 위험하다고 했다.모든 곳에 계시고 언제라도 다 듣고 계신다던 하나님은 내 기도에는 아무 대답도 없었고 생사의 문턱을 오가는 아내의 병세는 아무 변화도 일어나지 않았다.

수십 년이 지나며 이제 조금씩 알아간다. 어디든지 갈 수 있지만 아무

곳이나 가지는 않고 무엇도 할 수 있는 분이지만 십자가에서 죽어가는 아들을 바라보며 아무것도 하지 않은 분이었음을.

내리막으로 금방 끝날 것 같던 생명을 마치 브레이크 밟듯 멈추어 주셨다는 걸. 늦었지만 이제 감사를 드린다. 몰랐고 조급해서 그랬지만 원망과 불신에도 불구하고 늘 붙잡아주고 계셨던 그 느리고 긴 사랑의 진실을 인정한다. 원하는 사람의 기준이 아니라 선택하는 하나님의 자비로 구함을 받는 사실을.

어디나 갈 수 있지만
아무데나 가지는 않고
누구나 품을 수 있지만
아무나 받지는 않는 분
모든 것을 해결할 수 있지만
스스로 하기를 바라는 분.
제게로 와서 품어 주셨네요.
그저 감사해서 불러만 봅니다.
"하나님..."

그저 기도 76 - 순종 by 희망으로

'하고 싶은 말 일흔일곱 - 듣기 시험'

생명이 태어나면서 가장 먼저 시작되는 기능이 들리는 것, 청각이라고 한다. 심지어 엄마의 뱃속에서도 엄마 아빠의 음성을 들으며 자란다고도 한다. 생명의 모든 기능이 꺼져가고 죽음에 이를 때 가장 늦게까지 작동하는 것도 듣기, 청각이다.

보는 것은 내가 찾는 것, 나를 중심으로 일어나는 정보다. 들리는 것은 주로 어디선가 오는 누군가 무엇인가 메시지다. 가장 큰 기도는 내가 말하는 것이 아니라 듣는 기도라는 표현이 그래서 나오나보다. 생각해보니 많은 부정적인 것들이 보는 것에서 일어나기도 했다. 욕심, 미움, 정욕, 질투, 소유 집착 등등 오죽하면 눈이 범죄 때는 눈을 빼고 천국에 가는 것이 낫다고 성경이 말했다.

남의 말을 들어 주는 게 정말 어렵다. 내 말, 내 입장, 내 생각을 먼저 강요하기 시작하고 그런 태도가 늘 사랑하는 이들과 갈등을 만들어 많은 불행이 쌓이는 것을 본다. 듣는 자세, 듣는 시간이 없어서 망가지는 것은 셀 수 없이 많다. 차마 눈을 뺄 용기는 없어서

자주 눈을 감고 귀를 기울여본다. 나에 대한 하나님의 말씀을 들을 수 있도록 아프고 힘든 사람들의 마음 소리를 듣기를.

외모가 좀 떨어지는 이를 보며
'내가 저 사람보다는 잘났다!' 합니다
일이 좀 서툰 사람을 보면
'나만큼 잘하지 못하는군!' 합니다
'너는 다른 사람보다 죄가 많아!'
하는 하나님의 말은 듣지를 못합니다
잘들리게 도와주소서!

그저 기도 77 - 듣기 시험 by 희망소로

'하고 싶은 말 일흔여덟 - 감당하기'

다른 사람과 대화 중에 종종 유혹받는다. 뭔가 내 욕심을 더 채우는 데 보탬이 된다면 조금만 더 포장해서, 조금만 더 유리하게 마음에 없는 말이라도 하고 싶은 충동 때문에.

그러나 길게 살아오는 동안 얻은 경험으로 그 충동을 멈추고 마음을 추스른다. 당장은 이익이 되지 않아도, 화려하지 않아도 당장은 감동을 주지 못해도 진실을 바탕으로 거짓 없이 있는 그대로 말하는 것이 늘 나중에 아무 사고도 없더라는 기억에.

마음에 없는 말을 부풀리고 꾸미면 언젠가 어느 순간에는 꼭 문제가 되었다. 그래서 기억한다. 법정에 손을 들고 선서할 때의 마음. '양심에 따라서 숨기지 않고 사실대로 말할 것을 다짐하며, 만일 거짓된 내용이

있다면 위증의 벌을 받겠습니다!'

그 결과는 대부분 후회가 없었다. 서로가 불편해질 염려가 예상된다면 차라리 그냥 침묵하는 편이 나았다. 가장 가깝다고 생각하는 가족에게도 당장 편하다고 마음과 다른 말을 했다가 나중에 곱절로 서운함과 갈등이 생기고 원망의 불씨로 돌아오는 경험을 했다. 때와 장소에 따라, 상황에 따라 다른 말을 하는 것은 대부분 이전의 말이 정직하지 않았을 경우다. 정직하거나 침묵하거나! 일상을 변함없이 감당하고 싶다.

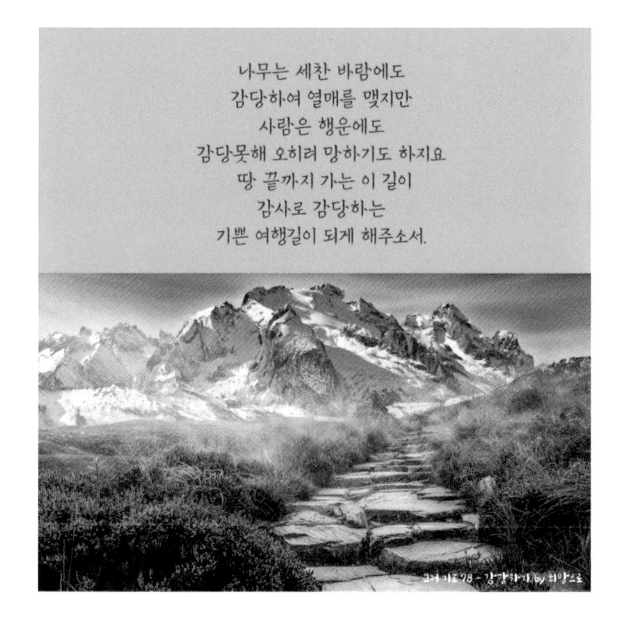

'하고 싶은 말 일흔아홉 - 둔한 시력'

너무 착해서 그런지, 할 말도 못 하는 새가슴이라 그런지, 종종 이해가 안 되는 답답한 사람이 있다. 자기 몫을 더 가져가겠다는 말을 해야 할 그런 순간 앞에서 걸핏 양보 아닌 양보로 뒤로 물러나는 사람이다.

자기가 무슨 성경 속 아브라함도 아닌데 '네가 좌하면 나는 우하고…' 좀 당당히 할 말을 하고 내 몫은 챙기고 그렇게 해보라고 권유해도 잘 안된다.

그러고도 상대를 편들기조차 한다. '무슨 사정이 있겠지!' '아마 우리보다 더 많이 필요할 거야!' 욕심 많은 상대방까지 착한 사람을 만든다. 어떤 때는 그 위축된 심리가 지나쳐 동사무소나 경찰서는 문도 못 들어

간다. 무슨 죄지은 사람도 아닌데 그런다.

처음에는 다투고 화내기 싫어 그런가 했는데 나중에 보니 습관처럼 되어 소심증이 되었다.

오랫동안 곁에서 살면서 그 사람을 본 결과 그녀의 주변에는 아주 몹쓸 사람이 거의 없었다. 이 웃지 못할 난감한 성품이 혼자만이 아니라 유전인지 배웠는지 딸도 그랬다. 가끔은 쑥스럽다고 전화로 음식 주문도 못 했다. 딸에게 물려준 그녀가 바로 아픈 나의 아내다. 어쩌면 그런 내력이 결국 병이 되었는지도 모른다.

그런데 더 놀라운 점은 최근 알게 된 사실이다. 수십 년 긴 세월을 웃고 편히 산 사람은 똑똑하고 따지기 잘한다고 평가한 내가 아니었다.

나는 순간마다는 늘 이기고 지지 않은 것 같은데 지나고 보니 늘 성이 안 찬다고 불만으로 살았더라. 반대로 순둥이에 남 칭찬만 하고 물러터졌던 아내는 대부분 시간을 우스우면 웃고 슬프면 울고, 다리 뻗고 잘 자고 그렇게 만족하며 살았다. 어떻게 결과가 이렇게 되었는지…

계산이 잘못된 이유가 뭔지 예상이 빗나가는 이유가 뭔지 모르겠다. 상대의 눈에서 티끌보다 대들보를 보는 사람이 더 불행해진다고 말한 성경의 진리가 이걸까?

아픈 아내는 시력이 둔해서
바위같은 내 험도 못 알아봅니다.
건강한 나는 시력이 예민해서
아내에게서 티끌도 찾아냅니다.
그 대가로 아내에게는 늘 푸른 초장이
내게는 종일 비바람치는 바다가 에워쌉니다.
하나님 제 눈도 좀 둔하게 해주세요.
그저 기도 79 - 둔한 시력. by 희망으로

'하고 싶은 말 여든 - 염치'

이강백 작품 중에 이런 연극이 있다. '내가 날씨에 따라 변할 사람 같소?'

"벌써 보름째야!

우리 같이 하루 벌어 먹고 사는 사람들은

가만히 앉아 굶어 죽으란 거야 뭐야?

아니 해도 너무하는 것 같지 않느냐 말입니다!

번개가 친다

에헤이!

당신이 이렇게 몰인정하게 나오니까

사람들 인심마저 사나워지지 않소!

내가 방금 야채 시장을 지나오는데
무, 배추, 감자 할 것 없이
몽땡 빗속에 잠겨 썩어가더라고.
비 좀 그치고 우리 스스로 일좀 하게 해서
뭐라도 좀 먹게 해달라고!
우리가 뭐 공짜로 먹게 해 달랬어?
비만 그치게 해주면
우리가 스스로 벌어먹겠다는 거 아니야!!"

며칠째 비가 내려 땜질을 못 해 화가 난 땜장이가 하늘에 하는 독백이다. 살다 보면 비가 오는 날 눈이 오는 날도 있다. 그런 날 다 합쳐도 맑은 날이 더 많을 거다. 그래도 대부분 사람은 생업에 지장을 받는 날에 더 고통스럽고 민감해진다. 별로 다를 게 없는 나의 지난 모습도 그렇다.

사실 신앙인이라고 맑은 날만 계속 오지는 않고 좋은 일만 연속되지는 않는다. 그런 신이 우리가 믿는 신이라면. 좀 민망하기도 하고 난감할 수도 있다. 그건 너무 3류 소설이나 사이비교 같아서.

그러나 신앙인은 다른 점이 있다. 같은 날씨, 비슷한 어려움을 만나도 비신앙인과 다른 점은 그런 날도 그런대로 감사할 이유를 찾아가며 산다는 거다. 그러다 그게 진짜 감사한 삶이라는 숨은 비밀을 알아버리게 되는 축복도 받는다는 점이다.

‘하고 싶은 말 여든하나 – 아버지’

딸아이가 몸이 아파서 이틀째 집에서 꼼짝 못 하고 지내는 중이라고 소식이 왔다. 그 문자 소식을 듣고 ‘약 사 먹고 푹 쉬어라! 안 나으면 병원 가서 주사도 맞고 치료받는 게 좋겠다’ 라고 말을 해주었다.

그렇게 무심한 듯 부모들이 대개 하는 말을 해주고도 감정의 바닥에는 약간 걱정과 안타까움이 사라지지 않았다. ‘이제 어른인데 알아서 하겠지 뭐!’라고 태연한 듯 자신을 달래기도 하고 잊어버리려는데… 생각과 달리 감정은 따로 흘러간다.

아이가 어릴 때는 직접 약을 먹이고 꼼짝 못 하게 명령조로 말했다. 상태가 안 좋아지면 업고 병원에 데리고 갔다. 그러나 성인이 된 지금은 그런 방법이 먹히지도 않고 그러지 않아야 한다며 조금은 냉정한 척 거리를 두려고 애썼다. 그래야 나이 들어가고 할 수 있는 일이 줄어드는 부모의 자리를 그나마 지킬 수 있기 때문이다.

어떤 태도 어떤 방법이 더 나은 것일까? 몸이 멀어지면 마음도 멀어지고 자녀의 독립생활이 자리잡을수록 마음이 놓이면서도 동시에 별 필요가 없어지는 부모의 무게가 아쉽기도 하다.

아이들이 '제가 알아서 할게요!' 라는 의미의 말을 직접 할 때는 울컥 서럽기도 하다. 그래야 당연하고 그래야 우리도 맘 놓고 어느 날 이 땅을 떠날 수 있는데도 불구하고 말이다.

혹시 하늘에 계신 아버지, 하나님도 내가 다 알아서 힐게요! 잔소리나 간섭도 그만하세요!' 하면 서운할까?

문득 그런 궁금증이 몰려온다. 도대체 내가 뭘 알아서 제대로 할 수 있기나 하는지도 의문이지만 육신의 부모인 나처럼 서운하실지도 모른다는 짐작에 조심스러워진다.

그래서 나는 하나님께 언제까지나 도움을 요청하고 외롭다고 칭얼거려야지! 마음먹는다. 내가 딸에게 좋은 부모가 되려고 애쓰고 여러 필요를 살필 때가 참 행복했던 기억을 떠올리면서.

그 받는 심정을 어떻게 아느냐고? 지금도 받으며 하루하루 일상을 사는데 왜 모를까. 딸에게 내가 해주려던 크기 무게보다 백배 천배는 더 많이 나를 지키시려는 하늘 아버지인데!

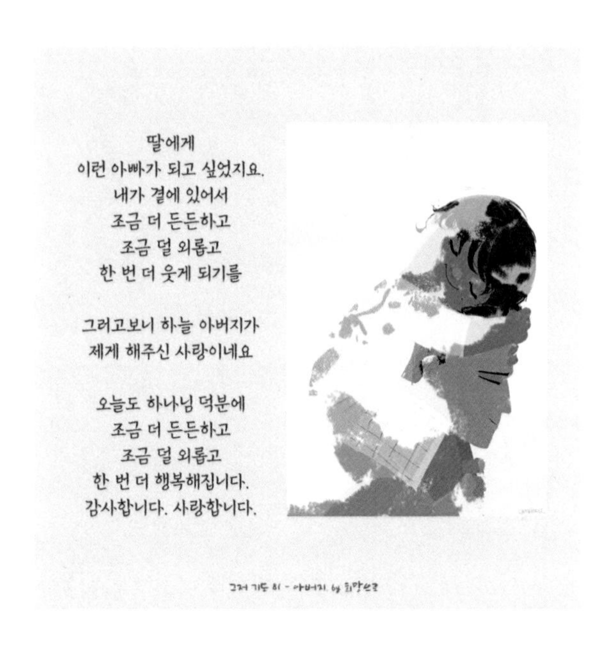

'하고 싶은 말 여든둘 - 추가로 구하는 것'

아주 오래전 본'우주전쟁'이라는 우주공상영화가 있다. 영국의 H.G.웰스가 1898년에 발표한 동명의 SF소설 '세계의 전쟁' 원작을 영화로 만든 것이다. 화성에서 지구를 침공한 그들은 너무나 앞서고 가공할 과학무기를 가지고 있어서 도저히 이기는 건 고사하고 방어도 할 수 없었다 멀지 않아 지구 인류는 전멸당하고 사라질 판이었다.

그런데… 놀라운 반전이 일어나기 시작했다. 어떤 무기에도 끄떡없든 그들이 하나둘 쓰러지고 죽어가기 시작했다 비행기는 멈추고 무기는 작동을 못 했다. 그들을 물리친 건 군인도 새로운 무기도 아닌 박테리아였다 의학 과학이 너무도 발전한 화성에서는 아무런 질병균이 존재하지 못해 그들은 면역력이 없었던 거다. 지구를 거의 점령했다고 의기양양하게 우주선 밖으로 나온 화성 외계인들은 공기와 물에 노출되어 감염되었고 그들 사이에 퍼져버렸다.

아직도 잊히지 않는 그 이유, 지구인들의 면역력! 그것은 어쩌면 더럽고 위험한 환경에서 생존하는 지구인들에게 주어진 엄청난 복이 되었다. 톰크루즈가 주연으로 나온 스필버그의 우주전쟁에 이런 대사가 나온다. "인간의 첨단무기로도 끄떡없던 그들을 굴복시킨 건 이 땅에 존재해 온 미생물들이었다." 라고.

그와 비슷한 이야기를 해외 장기여행자에게 들었다. 아직 초보여행자로 다니던 시절, 물이 오염된 열악한 나라에서 현지인들이 마시는 물과 음식을 겁도 없이 따라 먹었다가 그들과 달리 면역력이 없는 여행자는 복통과 설사로 죽을뻔하다가 살아났다고 했다. 물론 다음부터는 정화하는 약을 타거나 조심하고 또 조심하며 조금씩 먹어 적응한 후 양을 늘려갔다고 한다.

면역력! 그건 그저 생기는 게 아니다. 예방주사는 면역력을 만들어주는 것이다. 그 예방주사는 병균을 미리 몸에 주입해서 병이 나게 만드는 과정을 거치는 것이다. 그래서 생기는 것이 같은 병이 올때 견디고 이기는 힘, 곧 면역력을 얻는 것이다. 그런 방식과 비슷한 과정을 밟아 세상의 삶을 버티게 하는 것이 파란만장 산전수전 겪은 사람들이다. 처음 아닌 일들에 요령도 생기고 충격도 줄일 수 있는 방법이다. 예방주사와 비슷한 효력의 경험.

나이 들어간다는 것은 백전노장이 되어 가는 것과 비슷하다. 온갖 경우를 다 당하고 때론 죽을 고비도 넘기고 기쁜 일 슬픈 일을 다 겪으며 작은 일에는 더 이상 놀라거나 당황하지 않게 된다. 백전노장은 젊은 군인처럼 힘이 세지도 않고 순발력도 최신 지식도 배우지 않은 느리고 볼품 없는 노인네에 가까울지 모른다. 잘생기지도 못했을 수도 있다. 감정도 탁해져 잘 웃지도 못하고 더러는 무표정할 수도 있다. 세련되고 풍부하지도 못할 수도 있다. 무심하거나 말이 적을 수도 있다.

그러나 그들은 생존하는데 필요한 방법과 참고 이기는 힘은 젊은이들보다 앞서 있고 노련하다. 수도하며 전진하는 신앙인이란 어쩌면 백전노장이 되어 가는 모양과 비슷하다. 온갖 경우를 이겨내고 담고 살면서 겸손해지고 질겨지고 무엇이 중요한지 힘이 어디서 오는지 깨달아가기 때문이다. 겉모습은 초라하고 쓸모없어 보일 수도 있지만 외계인의 침공 같은 순간에도 생존할 수 있는 존재일지 모른다.

춘화현상, 죽지 않고 혹한의 겨울을 이기고 난 나무는 더 진하고 아름다운 꽃을 피우고. 밟히고 눈보라를 맞고 자란 보리처럼 건강하고 많은 양의 열매를 맺는다. 사람도 자연의 일부고 피조물이라 크게 다르지 않을 수도 있다. 인생에 만나는 가난 질병 외로움도 이기고 나면 얻어지는 게 있다.

'하고 싶은 말 여든셋 - 염치 2'

'나는 누구에게 쓸모가 있을까?' 가끔 내가 가진 힘이 모자라고, 내 가족이 꼭 필요한 도움을 내가 줄 수 없을 때 나는 그런 질문의 구덩이에 빠지곤 했다. 아내가 처음 발병해서 곧 죽을 것 같은데도 나는 아무 도움이 못 되며 밤을 꼬박 보낼 때 그랬고, 또 치료는 못 해도 응급 처리를 위해서도 엄청난 병원비용이 필요할 때도 그랬다.

조금 고비를 넘기고 나니 또 다른 일이 나를 기다렸다. 방치되고 혼자 알아서 살아남으라 냅둔 딸이 비 오는 날, 추운 날 혼자 잠들고 혼자 학교를 오가는 게 나를 아프게 했다. 그때 또 그런 좌절감이 몰려왔다.

'나는 자랑스러운 부모는 못 되네'

좌절하여 슬프면 부끄러운 감정이 몰려오고 또 내가 향기로운 꽃이나 쓸모 있는 소금이 못 되는 싸구려 신앙인이라는 자책이 힘들었다.

그런데 아이러니하게도 나를 그렇게 몰아세운 불행한 구체적 상황들이 나를 버티게 했다. 내가 포기하면 바로 무너지고 생사가 불투명해질 병든 아내와 어린 막내딸이 나를 포기도 못 하게 했다. 사는 것 같이 잘 살지는 못해도 죽지 못해도 살아야 한다는 선택 불가의 숙제로.

코로나 때는 초기에 구하기 힘든 마스크를 여기저기서 많이 보내주셔서 바깥으로 나가지도 못하는 중인데도 사용하고 남을 만큼 확보가 되었다. 염치가 없었다. 또 염치가 없는 것은 금방 끝날 것 같았던 투병이 좋아해야 할지 슬퍼해야 할지 길어졌다. 그래서 염치없지만 나는 오늘도 살아간다. 염치없는 사람으로 염치를 외면하고…

향기 나는 꽃이 아니어도
변치 않는 소금이 못되어도
나는 살겠습니다.
걱정근심과 미움 좌절에
때로 버러지 같아 마음아파도
나는 살겠습니다.
언제나 밀어 내지 않고
잠자코 들어주시는 당신이 계시니
염치없어도 살겠습니다.
그저 기도 83 - 염치2 by 희망소로

'하고 싶은 말 여든넷 - 동행'

처음에는 우아하게 다니고 싶었다. 남들의 눈에도 그렇게 보이고 나도 만족할 만큼. 그렇게 주일날 교회에 가고 싶었다. 어쩐지 그렇게 하면 뭔가 훌륭한 신자로 인정받을 것 같았다.

그런데 평일과 주일의 구분도 없어져 버린 중증환자와 그 가족 보호자가 되니 주일 정해진 시간에 딱 맞추어 교회에 간다는 것이 쉽지 않은 나들이가 되었다. 한동안은 찬양대가 있는 예배를 드리고 싶다는 아내의 요구에 따라 병원 바깥의 큰 교회를 나가보기도 했다. 작은 언덕길을 오르내리고 땀에 젖은 채 시간을 맞추느라 씨름했다. 그런데 성한 사람들이 우르르 엘리베이터를 먼저 차지하고 타는 바람에 몇 번이나 보낸 후에 가까스로 탈 수 있었다. 예배후에도 다들 나가고 한참을 기다렸다가 한가해진 엘리베이터를 이용해서 교회를 나와 병원으로 돌아오고 했다.

그러나 오래 다니지 못했다. 그런 출입의 불편보다 다른 괴로움이 몰려왔다. 광고 시간에 자주 많은 헌금이나 성공한 사람들의 소식을 집중적으로 소개하는 것도 조금씩 위축시켰고 심지어 설교 시간에조차 세상의 자랑거리가 모델처럼 거론되는 게 고역이 되어 갔다. 병들고 가난해진 사람이 역설로 믿음이 적고 버림받아진 느낌이 심히 괴롭기도 했다. 그런 교회의 분위기가 힘들게 해서 결국 그만 나가기로 결심했다.

얼마 지나지 않아 코로나가 대유행이 되었고 자연스럽게 모든 출입과 왕래가 통제되었다. '그래, 이참에 기독교 교인을 그만두자! 맘 편히 출석할 수 없는 곤란함은 기독교인을 그만두면 더는 남의 비난도 받지 않아도 되고 스스로 자책할 필요도 없어질 테니!'

가난하고 약한 사람들에게 험한 모든 일을 맡기고 넉넉하고 높은 자리를 차지한 사람들이 거룩하게 차려입고 성수 주일을 자랑하던 이천년 전 모습이 떠오른다. 양은 고사하고 비둘기도 살 수 없고 그 시간조차 바닷가나 시장 한구석에서 가족들의 생존을 위해 일해야 했던 사람들은 지금도 여전하다. 그들보다 높고 부유한 자리에서 신앙생활을 하는 고급 신자들에게 죄인으로 낙인찍히는 신자들이 왜 지금 시대라고 없을까?

그러나 하나님은 외면하지 않으시리라 믿는다. 세상 모든 현장이 수도원이고 성전이다. 큰 십자가가 세워진 높은 예배당 건물 밖에도 하나님은 계시고 어둡고 추운 길거리에도 하나님은 똑같이 계신다. 주일 예배 시간에 하나님은 예배실에만 있는 것 아니라 세상 곳곳 삶의 현장에도 계시면서 그들과 동행해주실 것이라 믿는다. 비록 화려한 옷도 거룩한 성가도 못 부르지만 그들의 땀에 젖은 옷과 힘에 겨운 신음과 한숨도 기도처럼 놓치지 않고 들어주시리라 믿는다.

그저 기도 84 - 동행 by 희망으로

'하고 싶은 말 여든다섯 - 하나님은 궂은일도 사용 한다'

비행기를 타기 위해 공항으로 바삐 가던 사람이 차를 운전하던 사람이 서툴러 접촉 사고를 내는 바람에 시간이 늦어 비행기를 놓치고 말았다. 여러 약속과 추가로 들어갈 비용이 떠올라 무지 화가 난 그 사람은 운전기사가 정말 미웠다. 그런데, 정말 믿기 어려운 일이 생겼다. 그 사고가 없었으면 자기가 애당초 타고 갔을 그 비행기가 엔진 고장으로 추락해 탑승자 모두가 사망했다. 좁게만 보면 궂은일이 분명한 그 하나가 인생의 긴 시각에서 보면 너무 큰 행운이 되어버렸다.

남의 이야기만이 아니라 나에게도 그런 이야기가 있다. 십 대 어린 시절 중단되어버린 공부를 계속하고 싶어 충무로 어느 신문지국에 직업배달이라는 일을 했다. 열댓 명이 한 방에서 좁게 잠자며 새벽 2시 좀 지나서 신문 350 ~ 450부를 분류하여 지게처럼 지고 배달하는 일, 학원비와 생활비를 버는 그걸 직업배달이라고 불렀다. 그리고 낮에는 신문값을 수금하러 돌아다니다가 오후면 검정고시 학원을 나가거나 기술을 배우러 다녔다.

그런데 그렇게 힘들어 공부하며 검정고시가 다가온 날, 너무 힘든 배달일에 지친 몸이 병이 나고 말았다. 검정고시학원에 가서도 피곤해서 졸기 일쑤였지만 아예 시험장을 가지도 못하게 된 건 다른 문제였다. 너무 상심한 마음에 '이러고 사느니 죽자!' 하며 열심히 사 모은 수면제를 먹었는데 발견되고 말았다. 당시 가까웠던 을지로 국립의료원에 실려 가서 응급 조치후 3일 만에 정신을 차렸다. 너무 수치스럽고 치료비도 감당 안 되어 도망쳤다. 나중에 연락받은 신문사 총무님이 병원비를 내주었다.

그 일이 꼬인 불행의 연속이었지만 지나고 보니 그 일이 없었고 시험을 무사히 치르고 어찌어찌 일이 잘 풀려 대학가고 성공이라도 했더라면 오늘 이 하나님의 쿠폰은 못 얻었을지 모른다. 회복 후 그만두고 나온 뒤 다시 도전한다고 취직한 술집 룸쌀롱 주방보조 일자리를 얻었다. 그곳에서 전도를 받아 교회를 나가게 된 코스는 어찌 보면 행운이고 긴 여정에서 꼭 있어야 할 분기점이 되었다.

사소한 하나하나에 연연하지 않는다면, 어려워도 긴 일정 중의 하나로 보는 시각만 가진다면, 소탐대실로는 절대 보지 못하는 다른 진실을 보게 된다.

예수를 잡으러 온 군사들을 힘으로 막지 않고 내버려 두고 예수를 판 유다에게도 예수님은 너의 일을 완성해라! 그래야 큰 계획이 진행될 것이니… 라고 하셨다. 작은 일들 작은 미움들에 연연하지 않고 나중에 다가올 합력하여 이루어질 선을 기다릴 수 있는 믿음과 지혜가 있으면 참 좋겠다 싶다.

'하고 싶은 말 여든여섯 – 종일 내내 당신 생각'

누군가를 많이 좋아하는 사람은 감추지 못한다. 화사한 표정과 눈빛과 말 하나 몸짓까지 그렇다. 연인 사이가 주로 그렇고 이렇게 표현하기도 한다. '꿀이 뚝뚝 떨어져!'라고 놀리기도 한다.

울 딸도 같이 사는 고양이가 무척 좋은가 보다. 어떤 때는 얼마나 칭찬하고 이쁘다고 감탄하는지 그만큼은 좋은지는 모르는 나에겐 실감이 잘 안 났다. 좀 지나치지 않나? 하는 생각도 들었다. 그렇지만 정말 좋아하는 상대, 또는 대상이 있다면 그렇게 행복하고 기뻐할 수 있는 건 큰 복이다. 어쩌면 사랑받는 상대보다 사랑하는 사람이 더 크게 행복해지는 수지맞는 일인지도.

유행가 가사 중에 이런 표현이 있다. '앉으나 서나 당신 생각 / 앉으나 서나 당신 생각 / 떠오르는 당신 모습 / 피할 길이 없어라'

뒷부분은 그 대상이 떠나버린 아픈 마음을 노래하지만 떠나가도 벗어나지 못하는 생각 그리움을 노래한다. 정말로 진심을 다해 누군가를 좋아하게 되면 그럴 거다. 자다가도 벌떡 일어나서 보고 싶어질지도 모른다. 어느 시인은 또 이런 표현을 했다. '사랑받기보다 사랑했음으로 행복했노라!' 라고. 성 프란치스코의 평화의 기도에도

사랑받기보다 사랑하게 해주소서! 라고 했다.

'하고 싶은 말 여든일곱 - 늘그막에 생긴 막내 아기'

생선은 가시를 발라내고 살만 숟가락에 올려주었다. 젓가락질을 못해서 김치도 작게 찢어 올려주고 혹시 흘릴 수도 있어 턱 아래는 내프킨을 받쳐 준다. 물도 컵에 알맞은 온도로 섞어 가까운 곳에 놓아주었다.

문득 어느 날 그런 생각이 들었다. '나에게 네번째 아기가 생겼네? 위의 셋은 내가 키우지 않았는데…'

아내는 그렇게 나에게 막내 아기가 되어 보살핌을 받는다. 그래도 전신 마비로 꼼짝 못 할 때 비교하면 로또 복권을 맞은 것보다 대박 행운을 받은 거 같다. 그때 손이 가야 했던 일에 비교하면… 서넛도 키울 수 있다.

십수 년을 이렇게 살다 보니 돌보는 나도 적응이 되고 돌봄을 받으며 사는 아내도 적응되어 일상을 산다. 얼마나 다행인가? 산후 후유증보다 백배는 무겁고 슬픈 희귀난치병으로 많은 기능을 잃고 아기가 되어버린 아내가 미치지 않고 아직은 자주 웃는 상태로 살아주니!

또 돌보며 내 개인 꿈과 계획을 다 접고서도 그런대로 산다. 우울증 치료를 심하게는 두 번, 작은 건 수시로 버티느라 힘들고 고단하기는 하지만 죽지 않으니…되었다.

다만 가끔은 궁금하다. 하나님은 왜 나에게 이 늦은 나이에 늦둥이 자녀처럼 아내를 아기 수준으로 만들어 안겨주신 걸까? 무엇을 배우고 무슨 대가를 치르게 하시려는 계획일까? 아내는 차라리 죽는 게 낫겠다 여러 번 말할 정도로 극한 처지로 망가뜨려 살게 하시는 걸까? 나야 죄가 많은 거 인정하지만 아내는 내 기준으로는 안 그렇게 살았고 좋은 아내, 좋은 엄마였는데.

누가 알까? 그 말이 없는 이유와 계획을. 부디 주어진 생명의 잔량을 무사히 마치고 직접 듣는 그 순간이 오기를 기대할 뿐. 나의 소원과 기도는 오직 그날이 오기까지 우리 집 세 명의 아기를 잘 키운 아내처럼 세상의 생명을 잘 양육해낸 많은 부모처럼 한순간도 놓치지 않고 지키는 하늘 아버지처럼 좋은 부모 역할을 잘 해내는 것!

사소한 수고와
작은 양보를
평생 실천하며 사는 것은
전재산을
내놓은 것만큼이나
귀하지요.

그렇게 조용히
낮게 산 날들이 모여서
사랑도 되고
신앙도 됩니다.

엄마와 하나님을 통해
그 사랑을 느낍니다.
그런 부모가
되게 해주소서!

그저 기도 87 - 평생사랑 by 희망소&

'하고 싶은 말 여든여덟 - 범사에 감사할 이유'

날마다 산책 겸 운동 목적으로 걷기를 하는 길에 어느 날부터 딸기를 파는 차가 나타났다. 얼마나 많은 박스를 쌓아놓고 파는지 구경거리였다. 딱 한 품목 딸기만 그렇게 파는 경우는 처음 본다. 하도 맛있어 보여서 조금 사 왔는데 정말 맛있었다. 그렇게 두 번, 세 번 사다 보니 얼굴을 익혔다.

알고 보니 금산 딸기밭에서 날마다 수확해서 이른 아침에 출발해서 올라온다고 하신다. 그러니 정말 싱싱하고 가격도 거의 마트의 절반이다. 내 평생에 이렇게 연달아 딸기를 먹어 본 것은 처음이다. '고맙습니다!' '고맙습니다!' 인사를 하며 먹다 보니 딸기를 사는 날이 기쁘고 기다려진다. 운동하러 가는 발걸음도 가벼워진다. 과일 한 가지를 먹게 되는 감사로 일상이 기뻐진다니 작지만 신기한 경험을 한다. 범사에 감사를 하니 범사가 행복해지는 체험을!

사실 미움은 무슨 큰 괴물로 덜컥 오는 게 아니다. 누군가를 미워하는 과정은 '부글부글'에 가깝다. 사소한 불편한 마음에서 시작하여 끓어오르는 김과 같다. 눈을 떼지 못하고 계속 그 미운 사람, 미운 일을 반복하여 생각에 생각을 골몰하면서 자꾸 커지는 괴물이다.

심지어는 사랑하는 가족도 미워지기도 한다. 아내가 남편을, 남편이 아내를 미워하기도 하고 부모가 자녀를, 자녀가 부모를, 미워 못 견디기도 한다. 그래서 더러 세상의 뉴스에서 불상사를 듣기도 한다. 불행도 어느 하루 아침에 쿵! 떨어진 바위처럼 오지 않고 끓는 냄비의 수증기처럼 점점 부글부글 늘어난다.

나도 가끔 아내가 밉다. 내 몸이 좀 아프거나 묶인 처지가 답답하면 더 심해진다. 그럴 때 나가서 걷고 잠시 떨어져 다른 시간을 가진다. 다른 풍경을 보고 다른 사람을 보고 다른 감정을 느낀다. 그러면 어느새 가라앉고 끓던 미움의 냄비가 식는다. '별일도 아닌데…' 하며 제정신으로 다시 얼굴을 대한다.

기도는 쉬지 않고 해야 하지만 미운 마음은 고리를 끊어야 한다. 잠시 떨어져서 다른 일을 하면 훨씬 도움이 된다. 그러고 보면 미움도 감사도 참 작은 것에서 큰 나무로 자란다.

하나는 못 자라게 공급을 끊어야 일상이 행복해지고 하나는 더 자라게 반복해야 범사가 행복해지는 차이가 있지만! 자라버린 나무 기둥보다 뿌리는 작고, 뿌리보다 씨앗은 더 작다. 미움은 그 씨앗보다 더 작은 한 가닥 감정의 바람에서 온다. 바람을 직감하여 다루는 법을 말씀은 미리 알려주셨다.

'(불행에 농락당하지 않게) 쉬지말고 기도하며 (범사에 행복하려면) 범사에 감사하라!'

'하고 싶은 말 여든아홉 - 부르고 싶은 이름'

가끔 하루는 일생의 축소판 같다는 느낌을 받는다. 특히 잠 못 들고 뒤척이며 밤을 설치는 날은 더 그렇다. 아침을 상쾌하게 출발하고 종일 열심히 보내고 밤이 되어 잠에 깊이 들 수 있으면 참 좋겠다. 마치 태어나서 평생 열심히 살다 생을 잘 끝내는 복처럼.

잘 살고 잘 죽는 복은 신앙인이 받을 은총 중의 하나다. 잠들지 못하고 뒤척이며 악몽에라도 시달리면 영락없이 평탄하지 못한 불행한 삶을 보내다가 감사로 안식에 들어가지 못하는 딱한 생명이 떠오른다. 어쩌면 아침 눈을 뜰 때 첫 생각, 첫 말을 잘못하여 하루가 꼬이는 건 아닐까 싶기도 하다. 눈뜨자마자 욕심과 미움이 가장 먼저 들이닥쳐 흔들리고 탁해진 상태로 출발하면 마치 잘못 끼워진 첫 단추가 다음 단추를 줄줄이 잘못되게 만드는 것처럼. 밤에 평안히 쉬고 싶어 잠들기 전 읽는 기도문을 썼다. 그리고 외운 후 잠이 들 때까지 몇 번이나 속으로 읽기도 했다.

'잠자기 전 올리는 기도'

"하나님, 하실 수만 있다면
오늘 밤 우리 부부를 고통 없이 데려가 주세요!
그러나 아니라 하시면 하루를 또 열심히 살겠습니다!
우리는 아무것도 없고 오직 하나님뿐입니다.
그러니 살든지 죽든지 하나님만 붙잡습니다.
우리에게 일어나는 많은 일들을 이해는 못 하지만
하나님은 생각이 있고 우리를 사랑하신다고 믿습니다.
예수님의 이름으로 기도합니다 아멘!"

내 허락도 없이 온갖 틈으로 들어오는 숱한 잡생각 불안을 털어버리고 잠잠히 하고 싶어 마음을 비우는 기도였다. 물건과 관계들에 대한 집착과 생명까지 내려놓고 단순해져서 편히 잠들 수 있기를 간절하게 빌었다. 바라는 만큼은 잘 안되지만 도움은 되었다. 가장 간절해지는 부분, 단어는 이름이었다. 아버지! 하나님… 그 이름을 자꾸 부르면 힘이 느껴졌다. 어떤 조리 있고 정리된 말보다 이름을 부를 때 울컥 몰려오는 그 느낌은 마치 끊어졌건 전화선이 다시 연결되었을 때 지지직 하는 신호가 들리는 듯하다. 그래서 다시 불러보며 다짐한다. 아침 첫 말과 생각이 아버지! 하나님이기를 저녁 마지막 말과 생각이 아버지! 하나님이기를…

'하고 싶은 말 아흔 - 잘 사는 단순한 비결'

아픈 아내를 돌보다 슬슬 피로가 쌓일 때쯤 영락없이 한 방 날아오는 아내의 필살기가 있다.

"고마워! 당신 덕분에 이제까지 살아왔어!"

그 한마디면 봄눈보다 빠르게 쌓인 간병의 고단함이 녹아 게 눈 감추듯 사라져버린다.

그런데… 여러 번 겪다 보니 좀 이상한 기억의 그림자가 어른거린다. 분명 최근에 들은 듯한 느낌에.

"당신 혹시… 남편 감동하게 해서 맘껏 부려 먹기! 그런 말솜씨 배우는 학원 같은데 다녔어?"

아무래도 고단수 말 칭찬에 내가 자청해서 더 잘해줘야지! 하는 반복을 하며 사는 것 같다. 결정적인 증거나 확신이 없으니 그냥 아리송할 뿐이다. 분명 기분 나쁜 거 아니고 쌓인 피로와 슬슬 짜증 원망이 터질 직전에 사르르 녹아 없어지니 내가 고맙기도 하다. 성품이 고상하지 못해 분명 자신을 다스리지 못하여 터질 수도 있는 위험을 넘기니까. 고맙습니다! 감사합니다! 좋은 그런 인사로 서로 유익해진다면 남편 부려먹는 말솜씨 학원 다니는 거 괜찮다. 학원비 보태줄 마음도 있다.

비슷한 다른 경험도 있다. 아주 오래전 아내가 희귀난치병이 발병한 첫해에 환각증까지 심해져 도저히 집도 병원도 있을 수 없는 심각한 상황에 강원도 깊은 산 기도원으로 갔다. 그 기도원의 방 하나를 등록해서 죽을지 살지 모를 생활을 이어가던 중 연말을 맞이했습니다. 2008년 그해 겨울은 너무 춥고 눈이 허리보다 높이 쌓이기도 했다.

생활비도 못 벌고 아이들 보러 오가지도 못하는 처지에 맞이한 12월 31일, 자정 가까운 시간이 되어 가는데 잠을 이룰 수가 없었다. 심각한 아내 증상도 문제지만 보호자인 내 몸과 마음도 완전 방전이 되어 어쩌면 이대로 쓰러져 죽을 것만 았다.

'내가 지금 이대로 죽는다면? 난 아무래도 지은 죄가 넘쳐 좋은 판정은 못 받을 거야'

지나간 일들과 오만하게 상처를 준 몇 사람들이 자꾸 떠올랐다. 그리고 이대로 죽어 지옥의 고통을 영영 받을지 모른다는 예상은 무섭기보다 서럽고 슬퍼졌다. 뭐 하나 잘 거둔 결실도 없는 인생이 죽어서도 손가락질 받고 지옥행이라도 정해진다면 얼마나 한심할지.

그래서 그 밤에 당장 생각나고 연락이 가능한 분들에게 전화를 걸었다. 늦은 시간, 그것도 송구영신 예배 직전에 느닷없이 미안하다 용서해달라는 내 전화를 받은 그들은 어쩌면 걱정하고 어쩌면 당황했을지 모른다.

그러나 나는 그렇게 전화로라도 상처를 준 과거 일을 용서받고 미안하다고 말하니 정말 맘이 편해졌다. 죽음이 오늘 밤 나를 찾아 오더라도 난 할 수 있는 최선을 다했다는 평안함이 위로가 되고 잠들 수도 있었다.

감사합니다! 그 한마디가 또 다른 감사할 날을 만들어가고, 미안합니다! 그 한마디가 체한 듯 속에 얹힌 돌덩이를 치우고 건강해질 수 있다니 참 신기한 일이다. 회개하라고 숱하게 말한 선지자들의 의도가 그런 거고 범사에 감사하라는 권유가 또한 더 복을 주시려는 방법이 아니었을까 싶다.

눈치 없이 산 많은 세월이 무색하도록 어느 순간 누군가의 말 한마디 행동 하나로 번쩍 그 숨은 의미를 알게 되면 마음이 따뜻해진다. 미련하게 모르고 살면 겪게 될 많은 가시와 찬바람의 인생이 달라질 테니 말이다. 사실 모두 하나님의 말씀에 다 담겨 있었지만.

(2008년 12월, 그날 밤 죽어도 좋다며 용서를 구한 후 평안을 얻었다. 이제 올 12월이면 15년이 된다. 그 후로 우리 가정을 살리시고 생명을 이어주신 은혜를 잊지 않았다. 15년… 히스기아왕이 생각났다. 하나님께 매달려 죽을 목숨이 연장된 후 15년 만에 자식을 제대로 키우지 못하고 게으른 이유로 목숨을 거둬 가셨다. 지금 우리를 데려가셔도 고맙다. 하지만 변심이나 실망으로 그렇게 되기는 싫다. 맑은 정신에 변덕 없이 마칠 수 있게 해주신다면 정말 고마울 거다. 그랬으면 정말 좋겠다.)

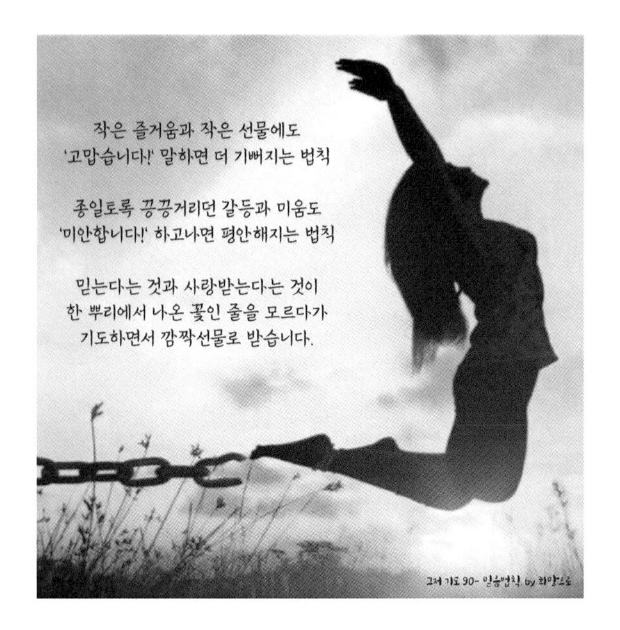

‘하고 싶은 말 아흔하나 - 야단맞을 때는 더 가까이’

‘세상은 죄로 가득하지만 내 주변에는 죄인 없다?’ 종종 뉴스나 인터넷에 심한 비난을 받는 몰지각한 사람들이 나온다. 혹은 부패하고 뇌물을 받은 공직자나 공정하게 일 처리를 하지 않은 각종 단체의 힘 가진 사람들에게 손가락질한다. 심지어 교회를 이끄는 목회자도 심심치 않게 도마에 올린다.

그런데 이상하게도 내 주변에는 썩은 사람도 공직자도 잘 눈에 보이지 않는다. 우리의 일상이 그런 장소나 사람과 무관하게 멀리서 살아갈 수는 없는데도 불구하고 그렇다. 늘 그런 저 사람들의 일이고 저 멀리 남의 문제처럼 느껴진다.

그건 정말 내 곁의 사람들은 모두 정직하고 죄가 없어서가 아니다. 다만 온갖 인연이 우리의 예리한 눈을 무디게 하고 무슨 이유를 붙여서라도 이해하려고 감싸기 때문이다. 더구나 작은 나의 이익이라도 연결되거나 얼굴을 피하지 못하고 마주해야 하는 경우는 더 그렇다.

내 손해를 감수하고 얼굴을 붉히면서까지 부담스러운 지적이나 비판을 하기란 여간 어렵지 않다. 두려움 때문이거나 불이익 때문이거나 혹은 그 두 가지가 섞여 있을 때 대부분 소리는 작아지고 수위는 낮아지는 것이 인간 세상의 모습이다. 그래서 성경에서도 그런 역할은 특별한 선지자나 신의 보호를 받는 이들이 맡기도 했다. 그러고도 죽기까지 한 사례가 세례요한이다. 예수님도 또한 그랬다.

가정에서 아이들에게 부모가 교육 삼아 하는 여러 도덕과 상식, 기준들을 부모가 잘 지킨다면 그 부모는 아마 굉장히 훌륭한 성품의 존경받는 사람이 될 것이다. 성인에 가까운 깨끗한 어른으로 인정받을 거다. 목회자나 부모가 가장 존경받기 어려운 대상이 어쩌면 가족, 그중에서도 자녀들일지 모른다. 24시간 356일 내내 모든 말과 행동을 다 아는 자녀에게 진짜 존경받는 거 쉽지 않다. 그래서 밖과 가족의 평가가 다른 경우가 자주 생긴다.

나도 아이들에게 종종 민망해진다. 무언가 문제가 있어서 야단칠 때는 내 모습이 찔리기 때문이다. 부지런해야 한다며 나는 귀찮아서 외면한 숱한 일들을 기억한다. 정직하라!며 나는 그러지 못했던 숱한 사회생활의 어두운 순간들을 알기 때문이다.

일관성도 없어서 나는 자녀들에게 신용이 아주 낮아졌다. 안되는 건 하늘이 두 쪽 나도 안되어야 한다. 아내는 자기감정에 따라 변덕을 부리지 않는다. 좀처럼 자기 화풀이로 태도가 왔다 갔다 하지 않는다. 그래서 아이들은 나보다 아내의 말에 더 무게를 둔다.

신앙인으로 내 모습이라고 다를까? 정직하게 나를 점수 매겨보면 아이들에게 비친 수준과 별반 다르지 않다. 하나님을 마치 내 아이들을 상대할 때처럼 안일하게 겁도 없이 대하는 경우가 많다. 알면서도 수십 년이 지나도록 잘 안 고쳐진다.

그래도 한가지 놓치지 않고 살려고 애쓴 게 있다. 나를 합리화하려고 정직한 기준, 잣대를 왜곡하거나 억지는 부리지 않았다는 점이다. 하나님 앞에서도 그건 비슷하다. 느리지만 조금씩 고쳐질 수 있도록 생명을 마치는 날까지 기억하고 노력하려고 한다.

무언가 잘못이 있어서 야단을 맞으면서도 부모 품으로 더 안겨 오던 아이들의 어릴 때를 평생 기억한다. 실수나 잘못이 있어서 야단을 맞는 건 맞는 거고, 그럴수록 더 품 안으로 들어가고 가까이 가고 싶어지는 건 아이들에게 배운 특별한 보너스 같은 선물이다. 등 돌리고 도망가버리거나 원망의 말 한마디라도 던지면 생길 거리감이 너무 싫다.

'하고 싶은 말 아흔둘 - 대접받고 싶은가?'

돌아보면 참 많은 사람이 나를 스쳐 가며 하나씩 쌓은 우정의 돌이 오늘의 나를 만들고 생명의 공급 통로가 되었음을 부인할 수 없다.

총각 시절 들쑥날쑥 1년을 못 넘기며 짧으면 석 달, 길어도 한 해를 못 채운 떠돌이 직장생활을 했다. 변변치 못한 학력 경력 인맥을 가진 당시 많은 가난한 청년들이 흔히 그랬던 시절이다.

그때도 취업 실직, 취업 실직의 퐁당퐁당 징검다리 직장생활로 돈도 바닥나고 집세며 연탄값도 없어 쌀도 사지 못하는 코너에 몰린 암담한 초겨울이었다.

집주인 할머니 얼굴 보기도 미안하고 행여 마주치면 월세 달라고 할까 봐 심란해서 새벽 일찍 수락산 길을 올라갔다. 집에 있어 봐야 해먹을 음식도 없고 연탄불도 꺼진 지 며칠 된 싸늘한 방이 더 춥게 느껴져 햇살이라도 보자고 나섰다.

온 산을 헤매고 다니다 지쳐 해가 중천에 오른 후에 살금 내 자취방에 들어섰는데… 방문을 열자 3-4키로 정도 크기의 누런 종이봉투에 쌀이 담겨 있고 메모지 한 장이 그 위에 있었다.

'이른 아침 왔다가 못 만나고 바람 한 줄기 남기고 갑니다!' 라는 내용의 글. 이렇다 저렇다 힘내라 뭐해라 말 한 줄도 없는 그 쌀은 당시 나가던 교회의 전도사님이 주고 가신 것이었다.

아무에게도 직장을 잃은 실직자라는 말도 안 했고 돈 떨어져 방세도 못 내고 쌀도 없다는 말은 더더욱 안 한 채 3일 가까이 굶다시피 지내는 중인데 눈물이 왈칵 쏟아질 뻔했다.

망가진 생활을 남에게 보이는 건 굶기보다 힘들던 총각 시절이다. 그 자존심을 건드리지 않으려고 먹을 양식을 남들 보지 못하게 이른 아침 놓고 간 그 배려와 마음이 느껴졌기 때문이다. 당시 셋방에 살며 작은 봉급을 받는 전도사님 생활도 어떨지 안다. 아마도 십중팔구 전도사 사모님 몰래 담아서 왔을 거다.

목메는 밥을 해서 먹고 기운을 내어 다시 직장을 구해 그 어려운 시기를 넘겼다, 그날 내 기억에 깊이 새겨진 몸과 마음의 양식은 두고두고 비슷한 고생할 때면 위로가 되었다.

그 감동과 고마움이 내 신앙심의 바닥에 어떤 형태로든 자리 잡아 나중에 나보다 더 어려운 군 제대 후 갈 곳도 잘곳도 먹을 것도 없어 힘들어하던 형제에게 살림 모두와 방 보증금까지 통째로 다 넘겨주었다. 나는 새 직장을 따라 가방 하나 달랑 챙겨 떠날 수 있었다. 아무 생색 내지 않고 언제 갚을 필요도 없다는 말과 더불어!

작은 사랑받은 경험은 내 모자란 성품을 채우고 작은 변화라도 불러오는 힘이 되었다. 받아보고 느끼지 않으면 설교집을 백 권 보고 성경 구절을 달달 외워 전하고 다녀도 나오기 힘들 그런 체험이었다.

예수님이 귀신 들리고 심한 병 고통을 당하는 사람이 딱해 눈물을 글썽이며 치료해주시는 성경의 장면을 볼 때 너무도 생생한 그 감정이 내게 몰려왔다. 눈물이 핑 돌아 더 읽지 못하고 남들 몰래 눈을 감았던 기억이 난다.

무슨 기적을 보여주는 과시가 아니라 측은함을 견디지 못하며 우시는 주님의 그 마음은 세상에서 보기 힘들어진 사랑이고 진심이기 때문이었다.

그런 주님을 만난 것이 내 인생의 가장 큰 복이고 로또 이상의 행운임을 자주 고백한다. 그러지 않았으면 나의 일상은 얼마나 외롭고 삭막하며 경쟁과 홀로서기만 존재하는 불쌍한 삶이 되었을지 생각만 해도 끔찍하다.

'하고 싶은 말 아흔셋 - 현대판 아나니아와 삽비라의 죽음'

처음 교회 발을 들이고 성경을 읽어 나갈 때 신약에서 아나니아와 삽비라의 이야기를 여러 번 읽었다. 생각해보고 다시 또 읽고, 수긍하기가 쉽지 않아 낑낑거리며 또 읽고.

아직 세상 사는 기준, 방법 등이 몸에 밴 상태에서 자기 재산을 팔아 내놓고도 부부가 다 죽어 나가는 게 쉽게 동의가 안 되었다. 누구나 비슷하게 내는 수준을 내면 의무를 다하는 거다. 아나니아와 삽비라는 더 많이 내고 싶어 재산을 정리하고 모아서 남들보다 많은 금액을 내었다. 집까지 팔아서 내었으니 결코 쩨쩨하거나 자기만 아는 사람이라고 비난은 못 한다.

그런데 내는 과정에 사람이 흔히 빠지기 쉬운 유혹에 걸렸다. '조금 만 더 남겨 놓을까? 혹시 무슨 급한 일이 생기면 해결할 비용이 필요할지 모르니' 그런 마음이 들기도 했을 거다. 그런데 이미 약속하고 내뱉은 말은 있는데 도로 거두거나 줄이겠다고 말하기는 쪽팔리니 뭐 말없이 그냥 덜 내면 그만이지! 그렇게 사람들이 가기 쉬운 편법을 택했다. 자기 재산이고 강제로 내야 하는 일도 아니었으니.

그런데 체면도 살리고 실속도 차리는 방법을 선택한 아나니아는 베드로에게 문책을 듣고 그 자리에서 꼬꾸라져 죽고 만다. 송장이 되어 들것에 실려 나간다. 그 광경을 모르는 채 들어와 같은 방법으로 거짓말을 한 삽비라도 차례로 죽음을 피하지 못한다. 하루에 부부가 죽어 나간 것이다.

'차라리 교회를 안 나가고 재산을 헌금으로 안 냈으면 죽지도 않고 잘 사는 길 아닌가? 공연히 선한 기독교인이 되고 더 내려다가 죽기까지 하다니'

그 후 오랜 신앙생활을 하면서 가랑비에 옷이 젖는 것처럼 그게 얼마나 하나님을 모독하고 신앙공동체를 깨는 좀이나 누룩이 되는지도 인정하게 되었다. 정직하게 자기 그릇대로 결심하고 내어놓는 것은 쩨쩨한 사람일지라도 이중 위선자나 거짓 신앙인은 아니다. 하지만 유혹에 넘어가 남을 속이면 신앙의 바닥과 기둥이 내려앉는 치명적인 불신앙이 되는 거다.

종종 내 신앙생활에서 아나니아와 삽비라의 행태가 문득 보여져 많이 놀란다. '이러다 죽는 거 아닐까? 이러면 안 되는데…' 하는 두려움이 몰려오기도 한다. 그 부부는 재산이라는 물질을 가지고 하나님을 농락하고 교회를 속였지만, 꼭 재산만 해당되는 게 아닐지도 모른다.

말로 하는 약속, 거기는 미래를 걸고 하는 시간의 납부도 있고, 어려운 사람 앞에서는 돕겠다고 말하고 시간이 지나면서 흐지부지 안 하는 위반도 그렇다. 자녀나 배우자에게 사랑으로 대접하겠다고 약속하고도 기분 나쁘면 사납게 대하는 등, 그 모든 행태가 거짓말과 위반의 연속이었다는 자책이 들 때가 그렇다.

현대판 아아니아와 삽비라, 그 다름을 극구 변명하고 나는 죽을 정도는 아니라는 발뺌은 아무래도 마음에 걸린다. 얄팍한 성품이라 일관성을 지켜 살 자신이 없다면 최소한 이런 말로 먼저 등록하는 욕심은 부리지 말아야겠다.

'내 모든 인생을 주님만 위해 살겠습니다!'

'직업과 시간과 재산을 모두 하나님의 기준에 맞추어 살겠습니다!'

'내가 그리스도의 마음으로 가족과 이웃을 평생 양보하고 사랑으로 대접하겠습니다!'

이런 겁나는 선 발행 어음 같은 약속은 조심해야겠다는…

'하고 싶은 말 아흔넷 - 악하고 바보지만, 소원이 있다'

사람을 4종류로 분류한 어떤 실없어 보이는 이야기를 들었다. 당연히 믿거나 말거나 식 내용이었지만 자꾸 그 이야기가 생각이 났다.

가장 좋은 이상적 조합은 착하고 똑똑한 사람이었다. 두 번째는 착하고 바보인 사람들이고, 세 번째는 악하고 바보인 사람들이다. 마지막으로 가장 안 좋은 경우인데 악한데 똑똑한 사람이었다. 상상이 간다. 악한 생각으로 가득한데다 똑똑하기까지 하면 세상에 온통 불행과 상처가 빈번하고 피바람이 불지도 모른다.

생전에 아버지가 늘 엄마를 울리고 괴롭히는 상황들을 보며 어린 시절을 보냈다. 어떤 때는 엄마와 집을 나가 가출하기까지 했지만 두려워서 다시 돌아오기도 했다. 집에 남은 동생들이 맘에 걸렸고 지구 끝까지도 찾아내 해코지할 아버지라고 엄마는 포기하셨다.

나도 나이가 많이 들고 생전의 아버지가 엄마를 괴롭히던 그 위치가 되니 이해가 되고 아버지가 불쌍히 느껴지는 부분도 있지만 오랫동안 나에겐 무거운 기억들이었다. 아버지는 자기 기분이 복잡하고 흔들리면 무슨 이유를 찾아내서라도 엄마를 들들 볶았다. 말꼬리를 잡고 확대해 밤새 잠 못자게 괴롭혔다. 나는 그런 날이면 이불을 머리 위까지 뒤집어 쓰고 잠든 척해도 잠은 점점 멀리 달아나곤 했다.

아버지는 위 4가지의 인간 분류 중에 어디 속할까? 내 결론은 세 번째, 악하지만 바보에 가까웠다. 도무지 똑똑하다면 더 넓은 세상의 사람들을 상대로 많은 재물이나 큰 자리를 얻기 위해 바쁘게 살았을 텐데 기껏 집안에서 엄마만 상대로 노년의 20년을 방에서 보냈다. 약한 엄마를 상대로 세월을 다 보내는 사람이 똑똑할 리가 없다.

그런데… 나는 어디에 속할까 더듬다 놀랐다. 그리고 슬퍼졌다. 그렇게 싫어하고 밉던 아버지와 같은 분류인 악하면서 바보에 속한다는 진실을 피할 수가 없었다.

도무지 내가 착한 사람이라고 말하기는 나도 웃음조차 안 나온다. 나를 대충 알거나 전해 들은 이야기만으로 나를 착한 사람이라고 하는 이들도 있지만 전혀 사실이 아니다. 아마 내 아이들도 나 없는 자리라면 그렇게 말할 거다.

그런데 동시에 똑똑하지도 못하다는 사실이 진짜 서글프고 안타깝다. 총각 시절 내 주위 사람들은 온갖 방법으로 집사고 주식 사고 재테크로 돈을 굴려 갈 때도 난 그런 거 잘 못했다. 장사라고 시작했다가 다 털어먹고 적자로 문을 닫았던 적도 있다. 똑똑한 거랑 거리가 멀어도 너무 멀다.

조운파님의 '두려워하는 것은' 찬양곡 가사에 이런 구절이 있다

[두려워하는 것은 믿음이 약함이요

괴로워하는 것은 소망이 없음이라

…

노여워하는 것은 사랑이 없음이요

서러워하는 것은 위로가 없음이라]

이 4가지에 나는 다 속한다는 걸 자주 확인한다. 인생 내내 두렵고 괴롭고 노여워하며 서러워 울기도 하니. 동시에 그 진단은 내게 4가지가

다 없다는 것도 말한다. '이기는 사람이 끝까지 남는 게 아니라 끝까지 견디는 사람이 살아남는다'는 말! 피투성이라도 견디고 살라는 하나님의 당부 하나를 질긴 동아줄처럼 붙들고 살다 보면 끝이 오겠지? 그래서 그날까지 내 소원은 살아남는 거다

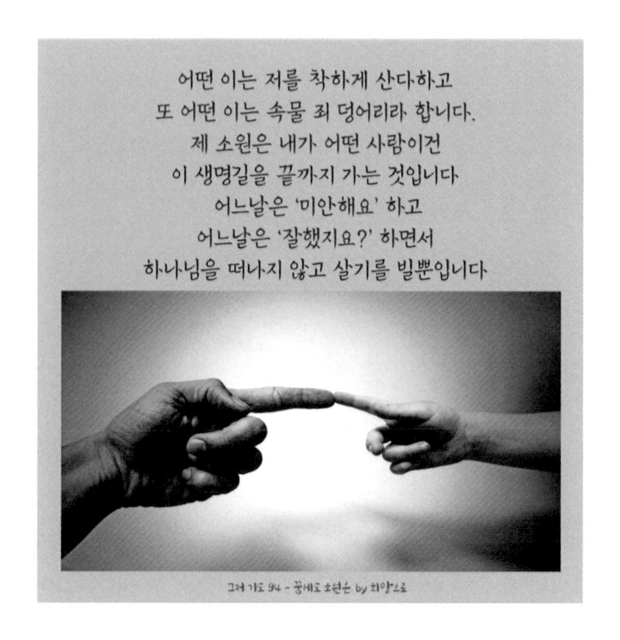

‘하고 싶은 말 아흔다섯 – 고장 나지 않은 부모의 사랑’

지식도 많고 성품도 넉넉한 뛰어난 선생도 자기 자식은 직접 가르치지 못하고 다른 선생에게 지도를 부탁한다. 자기 자식에게는 남들과 다른 특별한 기대가 앞서고 욕심이 조급증으로 변하여 평정심을 유지하지 못하고 갈등과 부작용을 일으키는 경우가 많기 때문이다.

내 아이들이 학교 다닐 때도 종종 그런 순간이 있었다 시골 작은 학교라 누가 공부를 잘하고 누가 어떤 재능이 뛰어나 상을 휩쓸고 어떤 아이는 많이 떨어지는지 안다. 학기 말이나 학년이 끝날 때마다 성적이 비교되기도 하고 이번에는 누가 1등이고 누가 2등인지 시골 마을 학부모들은 다 안다. 무슨 대회가 열리면 누가 학교 대표로 선발되어 나가고 시, 도 대항에서 무슨 상을 탔는지 온 마을에 퍼지곤 했다.

우리 아이들과 라이벌인 다른 집 아이들이 내 아이들과 선두를 다투는 일을 몇 번 겪다 보면 나도 모르게 정작 당사자인 아이들보다 궁금해지고 감정이 동요되기도 했다. 성적이 떨어져 순위가 바뀌고 온 날은 나도 말로는 '괜찮아! 다음에 또 잘하면 되지 뭐!'하고도 속으론 서운해서 '평소에 조금만 더하지, 맨날 게임이나 하더니…' 그렇게 속으론 살짝 미워지기도 했다.

다른 집 자식들과 비교는 말할 것도 없고 심지어 자기 자식 사이에도 비교로 차별 대우를 한다. 드라마에도 곧잘 우등생에 모범이고 부모의 자랑이 된 자녀와 그렇지 못한 자녀가 빗나가고 문제아가 된 경우가 나온다. 나도 그런 감정에 마주친 적이 있다. 같은 부모에게 태어나도 자식들이 장점과 재능이 다른 게 오히려 정상일 텐데 부모는 반대로 간다.

우산 장수 아들과 짚신 장사 아들을 둔 엄마는 부정적인 시선으로 일상을 보면 평생 한숨 쉬며 살아야 한다. 맑은 날은 우산 장수 아들이 장사를 못해 딱하고, 비 오는 날은 짚신 장수 아들이 공치는 날이기 때문이다. 긍정적으로 보면 어떤 날도 좋고 기쁠 수도 있는데도 대개는 안 좋은 면에 감정을 빼앗겨 산다.

나는 성경의 돌아온 탕자 이야기를 읽을 때마다 궁금해진다. 그 아버지는 재산을 탕진하고 망해서 돌아온 아들을 기뻐하며 잔치를 벌였다고 했다. 날마다 동구밖 입구로 나가 멀리 내다보며 오기를 기다렸다고도 한다. 그 아버지는 정말 작은아들만 사랑했을까? 큰아들은 내내 열심히 일하고 아버지 곁에서 지내며 도왔다. 오죽하면 큰아들이 왜 작은아들에게 그렇게 소를 잡고 잔치까지 하며 기뻐하냐고 서운했을까.

아버지는 '내 것이 다 네 것 아니냐! 너는 늘 나와 함께 있잖아? 잃었다 찾은 아들은 없어질 뻔하다가 다시 생겼으니 기뻐하는 게 맞잖아?'라고 대답했다. 아버지는 큰아들도 당연히 사랑하고 당연히 큰아들 몫도 챙겨줄 마음이다. 원래 부모란 그래야 한다. 각자 다른 길을 살아도 다 소중한 손가락처럼.

그런데 난 그게 때때로 안 되어 서로 없는 점이 마음에 걸리고 아쉬운 표정을 감추지 못하곤 했다. 말로 대놓고 넌 누구처럼 왜 못하느냐고 상처 주지 않은 걸 참 다행으로 여긴다. 많이 시간이 흐른 후 각자 달리 가진 성품과 재능, 취향이 또 다른 즐거움이 되고 다행이라고 여겨지기도 했다. 하나같이 똑같으면 굳이 자식이 여럿 있은들 무슨 재미가 있겠는가!

내가 하나님에게 평소보다 더 많은 보살핌과 사랑을 바라는 기도를 할 때는 늘 안 좋을 때다. 그러면 하나님은 더 큰 사랑의 말씀으로 이기게 도와주신다. 나는 그렇게 사랑을 받으면서 정작 나는 내 자식들에게는 반대의 반응을 보이며 살았다. 잘할 때는 아들이고 힘들 때는 등 돌리고 싶어지는…참 민망한 일이다. 그래도 아직 자식들과 같이 지낼 날이 많아 다행이다. 이렇게 받은 사랑과 준 사랑이 달랐던 잘못을 알았으니 고치고 노력해볼 기회가 있다.

'하고 싶은 말 아흔여섯 - 기도하면서 회복하는 것'

열두 제자들과 갈릴리 지역을 향해 가다가 사마리아를 통과할 때다. 밥시간이 되어 먹을 것을 구하러 제자들은 시장에 갔다. 예수님 혼자 우물 곁에 앉았다가 마침 물 길으러 온 여인과 여러 이야기를 나누었다. 제자들이 돌아와 보니 예수님이 웬 사마리아 여인과 말씀을 나누고 계셨다.

여자가 마을로 돌아간 후 제자들은 예수님이 시장하실 것을 염려해 음식을 내놓고 드시라고 말했더니 예수님이 하신 대답이다.

"나의 양식은 나를 보내신 이의 뜻을 행하며 그의 일을 온전히 이루는 이것이니라"

예수님은 그 사마리아 여인에게 진리와 하늘나라에 대해 말했는데 그 일이 자기의 양식이라 했다.

만약 어떤 사람이 먹는 거 아닌 다른 일에 열중하다가 밥 먹자! 고 곁의 사람에게 했는데 대답으로 예수님의 그런 말을 했다면 무슨 반응이 돌아올까? 배가 고프고 식사 때가 되면 허기를 견디기 힘든 평범한 사람들에게 그 양식은 실감도 잘 안되고 핀잔을 듣기 딱 좋은 말일 수도 있다.

그러나 우리가 공감하는 오래 된 말이 있다. 부모의 자식사랑을 표현한 말.

'아이들 먹는 모습 보면 부모는 안 먹어도 배부르다.'

비슷한 또 다른 표현엔 옛 어른들은 '논두렁에 물 들어가는 소리와 제 자식 입에 밥 들어가는 소리가 세상 제일 행복한 소리'라고 했다.

몸에 들어가는 밥과 빵 외에도 우리를 배부르게 하고 뿌듯한 충만감을 주는 것들 있다. 그것을 잊어버리고, 혹은 그 진리를 잃어버리고 살아가다 보면 먹어도 먹어도 허기가 지고 평안이 없는 삶을 느끼기도 한다.

아무리 많이 가져도 충족되지 않는 욕심은 결코 끝이 없는 결핍에서 벗어나지 못한다. 나만 중심으로 가지는 관계는 소통이라고 하면 할수록 벽에 부딪히고 고립된다.

예수님은 일찍 그 진리를 아신 분이다. 그래서 제자들과 자신을 따르는 이들에게 자유의 비결을 알려주셨다. 자신의 세상에 갇혀 허기지는 삶을 살지 않기를 바라면서…

'너희는 유대와 사마리아와 온 땅에 이르러 내 증인이 되라!'

베드로에게는 내 양을 먹이는 목자가 되라! 고 몇 번을 부탁했다. 다른 이에게 예수를 알리는 증인의 삶을 사는 이는 절대 자신의 감옥에 갇히는 법이 없다. 자신의 육신만을 위해 먹을 것 입을 것을 구하지도 않을 뿐 아니라 자기를 주장하는 말만으로 남을 강요하고 남의 말은 듣지 않는 어리석은 관계는 만들지 않을 테니.

선교사의 마음으로 이웃과 가족과 벽을 허물고 선교사의 마음으로 갈증과 배고픔을 해결하려 시선을 돌리면 어쩌면 욕심의 수렁에서 벗어날지 모른다. 결핍의 뫼비우스 저주에서!

직접 선교사의 길을 가지 못하고 구체적인 행동을 하지 못하면 기도라도 하면서 깨어 있고 응원과 후원이라도 하면서 나의 삶이 바로 서기를 빌어보자. 하나님이 또 다른 평안과 충족의 복을 주실지 모른다!

멀리 낯선 땅에서
남을 위해 사시는
선교사님을 위해 기도합니다.
그 현장에서 생활하는 동안
건강 상하지 않고
가족들도 지켜주세요.
그제야 알았습니다.
나의 성공과 필요만을 위해
기도할 때보다
내 속에 평안과 위로가
밀려오는 것을…
서로 기도하라신 말씀이
고맙습니다.

그저 기도 96 - 서로 기도 by 희망으로

‘하고 싶은 말 아흔일곱 - 잘 안되는 것 중 하나’

최선을 다한다! 는 말, 하기도 듣기도 참 좋은 말이지만 꾸준히 실천하기란 무지 힘든 말이다. 시한을 정해 잠시라면 할 수도 있다. 또는 어떤 일 하나라면 가능할 수도 있겠다. 그러나 일상에서 계속 그렇게 살기란 해보니 참 안되더라. 그렇게 안 되는 것 하나가 이런 거다.

원수의 이름은 바닷가 모래밭에 새기고 도움받은 이름은 바위에 새기라! 는 말. 많이 들었고 어떤 의미인지도 아는데 잘 안된다. 그렇게 하는 것이 원수를 위해서가 아니고 남에게 보이기 위한 것도 아니며 내 속의 괴로움을 없애는 길이라는 것도 아는데도 안 된다.

사실 마음속에 한 번 뿌려진 미움의 씨앗은 생명력이 너무 강해서 뿌리가 자라고 싹이 나서 자라버리면 이후 열 번 백 번 지우려고 해도 쉽지 않다는 거 살면서 많이 경험도 했다.

아내는 내가 누군가를 한 번 미운 사람으로 찍으면 평생 간다는 걸 안다. 그래서 아이들에게 농담 비슷하게 늘 아빠를 조심하라고 말한다. 그렇게 나는 한 번 마음이 돌아서면 아주 오래 가고 깊다. 그것도 천사 아니면 악마, 이렇게 극단적으로 받아들이고 표나게 대한다고 한다. 어느 날부터 아이들이 눈치를 채고 내가 무언가에 단정적으로 말하면 또! 또… 그런다. '죽을 때까지, 절대!'라는 단어를 사용해서 결별을 선포하는 내 말투 탓이다.

진짜로 심각하게 가끔은 '내 기억력을 좀 둔하게 해주세요!' 라고 기도 제목으로 하고 싶은 충동도 느낀다. 사람들의 기억력은 나쁜 일은 아주 오래도록 깊이 기억하고 심지어는 트라우마가 되기도 한다. 그러나 기쁜 일 좋은 일은 그렇게 기억하는 법이 잘 없다. 아마 열 배 백 배는 더 큰 감동적이어야 비슷하게 오래 기억할 거다.

그러니 인생의 기간 절반도 훨씬 넘는 많은 나쁜 일, 나쁜 사람들 기억이 내 속에 쌓였을 거다. 그런데도 아직도 기도 제목으로 못 정하는 것은 그 기억들이 없어져서는 안 될 이유가 떠올라서다. 좋은 기억이든 나쁜 기억이든 간에.

사람은 나이가 들수록 추억을 먹고 살아간다는데 아무 기억도 없는 무용지물 늙은 몸뚱이만 남는다면 그 얼마나 슬픈가? 서럽고 쓸모없으며, 웃음도 눈물도 없는 존재라면 그건 바로 산송장이나 다름없지 않을까? 그러니 나쁜 기억을 포함해서라도 지난 일을 간직할 필요가 있다.

수십 년 병원 생활중 스쳐 간 많은 사람 중에 절반은 넘는 사람들이 나를 화나게 하고 원수의 반열에 기억되었다. 진실은 고맙고 좋은 사람들이 절반도 더 넘게 많았을지 모르는데 내 기억은 실재와 상관없이 그렇게 되었다.

그런데 그 기준이나 이유가 얼마나 웃기냐 하면 무슨 멱살 잡고 경찰서 갈 정도로 큰일이 있어서가 아니다. 나 없을 때 한 말이나 지나가며 던진 말 한마디, 어느 날 일어난 어떤 사소한 일들 때문에 원수처럼 단정된 거다. 지나서 남들에게 말하면 어처구니가 없는데 당시 내 감정과 기억에는 그렇게 남았다.

'저 사람은 왜 저렇게 화장실을 오래 쓰는 거야? 자기 혼자 전세 내었나?' 라던가 '내가 보고 싶은 채널로 돌려요!' 라는 그런 말에 난 화가 났고 못 배워 먹은 사람이라고 애꿎은 아내에게 욕을 하며 평생 미워할 거야! 라고 말하곤 했다. 그게 고작 원수로 분류한 이유가 되다니… 그럼 일생 동안 그렇게 많은 사람을 새겨둘 바위는 또 얼마나 필요했을까?

간호사 중에 아직 서투른 사람은 아내의 소변주머니 시술에 실수도 하고 덤벙대어 내게 찍힌 사람도 있었다. 채혈하는데 핏줄을 못찾아 서너 번 찌르고 또 시도하려는 사람도 있었다. '그만하시고… 딴 분에게 부탁하지요?' 말은 감정을 무지 꾹 누르고 하지만 얼굴 표정과 말투는 감출 수 없었다. 심성이 착한 아내는 특히 잘 알아차리고 중간에서 불안했다. 나보다 당사자인데도 아픈 건 둘째고 아슬아슬 조마조마 맘고생을 하면서. '다시는 저 간호사에게 맡기나 봐라! 저 간호사 안 나오는 날 해달라고 할 거야! 실제로 그렇게 피해 가기도 했다.

만약 내가 그 간호사의 부모나 배우자, 가족이었다면 그 간호사는 얼마나 속상할까? 누구나 서투른 처음이 있고 오래되어도 잘하는 거 못하는 거 따로 있을 수도 있는데 말이다. 내 아이들이 사회에 나가서 그런 상황이 되었는데 다시는 기회도 안 주고 비난만 받는다면 내 맘은 어떨까?

그런 생각이 미치자 그랬던 내 방식과 내 기억 속 사람들에게 많이 미안해진다. 한번 못 지키고 어긴 것 때문에 평생 불신을 당하고 잘 못하는 분야의 실수 때문에 평생 기회를 박탈당한다면…

일곱 번씩 일흔 번이라도 용서하라고 하신 분은 진짜로 나에게 그렇게 용서하셨다. 세 번이나 잡혀갈까 봐 두려움 때문에 예수를 부인했던 베드로도 용서하시며 자기 양을 먹이고 돌보는 큰 사역을 부탁하셨다.

그 너그러운 은총은 베드로만이 아니고 나에게도 주시고 이천년에 끝난 게 아니고 지금도 주시는 은총이다.

나는 너그럽게 받으면서… 내 주변 사람들과 내 아이들, 내 아내에게는 칼같이 단죄한다? 그뿐 아니라 원수와 고마운 일을 반대로 바위와 모래사장에 새기며 산다니.

"너 전에도 그랬잖아! 그러니 못 믿어!"
"너 이건 잘 못하잖아? 그러니 하지마!"

지난 거, 못하는 거에 매달려
앞으로 못가고 기회를 주지 못했습니다.
그것도 나보다 약한 남들에게

나보다 훨씬 강하고 완벽한 하나님은
제게 그렇게 안하시는데...

그저 기도 97 - 받은만큼 by 희망으로

'하고 싶은 말 아흔여덟 - 내가 나를 죽이지 않도록'

는 것들이 점점 줄어들면 아무래도 의기소침하고 약해질 거다. 불안도 많아지고 서럽기도 자주 하며 질병과 각종 사고의 위험도 늘어 날 거다. 인류의 모든 사람이 거쳐 가고 수용하며 통과한 생명의 단계니 나라고 어쩌랴.

젊은 시절에는 뭐든지 할 수 있고 자신감에 가득 차서 거침없이 살아냈다. 그때는 희망이 절망보다 크고 용기가 비겁함보다 힘이 세었다. 그래서 긍정과 부정의 균형이 오히려 지나치게 긍정으로 기울어서 힘을 빼야 할 지경이었다. 그 바람에 오만과 만용, 과욕이 지나치고 조심성 없이 너무 밀어붙여 겸손이 모자라 사고가 나는 때였으니까.

그러나 세월이 흐르고 가진 재산 권력, 힘은 줄어들고 건강도 약해지고 그런 사이 자신을 지켜주는 안전망조차 무너지는 위기가 몰려오기 시작한다. 주춤 뒤로 물러나고 작은 가시에도 상처가 크게 나서 잘 낫지 못하며 오래가다가 흉터가 되기도 한다. 많은 부분이 그렇게 전세가 역전되고 우울해지기도 한다.

비행기는 좌우의 두 날개로 난다. 하나의 날개로는 수평을 만들지 못해 안전하지 못하고 보기 좋게 날 수가 없다. 균형을 잡는 대부분의 사물, 단체, 삶에는 거의 좌우 대칭, 혹은, 정 반 합의 원리가 바탕을 이룬다. 수레도 두 바퀴가 하나의 바퀴보다 안정감을 갖추고 굴러간다. 바람직한 인생도 예외가 아니라서 어쩌면 맑은 날만 계속되는 삶보다 흐린 날과 적절히 교대로 이어지는 것이 훨씬 자연스럽고 좋을 수도 있다.

사람도 자연과 예외가 아니라서 그렇다. 인생에는 곡절과 평탄이 교대로 있고 희망과 절망, 기쁨과 슬픔, 고통과 행복이 차례로 오고 가는 과정에 가장 바람직한 모습의 인격이 만들어진다. 한쪽만 경험한 인간이 타인과 소통하며 공감하기란 얼마나 힘들고 불가능한가! 그런 게 있기나 하는지도 모르겠지만.

하나의 사람 안에도 그 둘이 늘 치열하게 밀고 당기며 앞으로 간다. 꿈이 현실을 이끌어 가고, 현실이 이상을 어느 면에서는 좌절시키거나 발목을 잡으면서 유한하고 약한 인간의 본질을 인정하며 살아가게 된다.

사람들이 원하지 않아도 불행과 행복이 두 개의 수레바퀴처럼 우리를 한쪽으로 기울지 않게 만든다. 원망만 내내 하는 사람이 없고 감사만 내내 할 수 있는 사람도 없다. 아주 극단적 예외를 뺀 보통 사람들이라면 그렇다.

그 균형이 잘 잡힌 사람은 마치 들판에서 밤과 낮, 추위와 온기를 교대로 견디면서 피어난 꽃처럼 향기롭고 진한 색깔을 가진다. 젊은 시절은 그래서 청춘이라고 하는 걸까? 사람의 젊은 날은 생명력이 강해서 어떤 고난이나 역경, 나쁜 환경이 둘러싸도 버티고 빛을 발한다.

그런데 나이 들고 모든 영역이 초라해지면서 위기가 닥친다. 팽팽하던 균형이 무너지고 구차해지고 할 수 없는 일들이 많아지면서 더욱 그렇게 된다. 쓸모없고 도움 안 되는 뒷방 노인네처럼 거추장스럽다고 밀려나고 작은 풍파나 시련에도 방어를 못 하고 무너진다. 쉽게 병 들고 비생산적 소모품이 되어 비용을 더 치르게 한다. 노인 자살율이 가장 높은 이유가 우연이 아닌 것도 그래서일 거다.

이제는 젊을 때와 달리 의도적인 방어의 힘을 늘리고 여러 종류의 방패를 더 미리 마련해두어야 한다. 그래야 균형을 이루고 앞으로 나갈 수 있기 때문이다. 가만히 내 버려두고 방치하면 원망이 감사보다 자주 나오게 되고 극복보다는 좌초될 확률이 더 높아졌기 때문이다. 젊고 가진 것이 많을 때 우리를 유지하던 방어막은 이제 힘을 못 쓰니 새로운 방어막을 동원하고 사용해야 한다.

건강이 무너지고 질병, 노화가 출몰하는 자리에 대신할 생명의 본능적 대체는 뭐가 있을까? 아픔에도 불구하고, 무기력함에도 불구하고! 사는 재미가 없어져 가고 사는 허무가 늘어남에도, 그럼에도 불구하고 우리가 살아갈 목적은 뭐가 있을까? 살아갈 힘은 어디서 얻을 것인가?

[비록 무화과나무가 무성치 못하며 포도나무에 열매가 없으며 감람나무에 소출이 없으며 밭에 식물이 없으며 우리에 양이 없으며 외양간에 소가 없을찌라도 나는 여호와를 인하여 즐거워하며 나의 구원의 하나님을 인하여 기뻐하리로다 - 하박국 3:17 - 18]

하박국 선지자는 이렇게 노래했다. 모든 것이 절망적이고 상실되었을지라도 단지 여호와가 계신다는 그 이유 하나로, 나를 구원하실 분으로 믿는 마음에 변함이 없기에 기뻐하리라! 고 했다. 모든 일상의 처지가 어떠하든 흔들리지 않는, 살아야 할 의욕이 있다고 했다. 인류사에 오직 하박국 한 명만 누릴 이유였을까? 단 한 사람에게만 허용된 생명의 비밀일까? 아니라고 믿는다. 하여 나도 온갖 나를 지탱하던 날개와 바퀴가 녹슬고 무너지고 사라져도 내 생을 이어가리라! 나를 구원하실 분이 살아계시니!

그래서 나의 기도는 새로운 제목을 달고 빈다. 나의 부정과 허무와 근심과 수모를 넘어서는 방패를 주소서! 형편이 어떠하든지 흔들리지 않는 생명의 근원과 지키시는 분을 믿는 믿음을 주소서! 그리고 가야 할 곳을 그리워하는 소망을 간직하고 이 잃어가는 균형을 넉넉히 버티고 살게 하소서!

'하고 싶은 말 아흔아홉 - 잃고 나서야 아는 것'

나이 들어가며 몸의 여기저기가 빨간불이 들어오기 시작한다. '이러다 혹시? 대책 없이 죽는 건 아닐까?' 철렁 지나친 걱정에 무섭기도 하다.

14년이나 아내를 간병하느라 병원 보조침대에서 살면서 온몸이 망가졌다. 내과 안과 한의원 등 병원을 들락거리며 어느 때는 수치가 위험한 상태까지 왔다가 간신히 치료나 쉼을 통해 회복하기도 하고 어떤 부분은 이전만큼 돌아가지 못한 채 그냥 그런대로 안고 살아간다.

그런데 몰랐다. 이렇게 망가지고 아프고 불편해지기 전에 수십 년 동안 건강에 큰 걱정 없이 잘 지냈다는 사실. 잠시 스쳐 지나가는 잔병으로 얼마간 고생은 해도 그걸로 죽을지도 모른다는 두려움까지 가진 적은 없었다.

그러고 보니 건강만 그런 대상이 아니다. 이별을 하기 전까지는 영원히 늘 같이 있을 줄 알았던 사람들이었다. 통장이 바닥이 나고 수입도 끊어지고 나서야 평생 안 굶고 헐벗지 않고 살 만큼 늘 최소한의 소유가 있었다는 사실도 알았다.

호의가 계속되면 당연한 권리로 착각하는 사람이 세간에서 비난받고 여론의 몰매를 맞는 걸 보면서도 남의 이야기처럼 멀게 느꼈다. 설마 나도 그런 사람이 되어 가고 있는 줄은 몰랐다.

다. 내 것이었다면 내가 원치 않는데 사라질 리가 없다. 이것저것 잃고 슬퍼할 리도 없다. 내 맘대로 되어야 하는 데 그러지 못해 씩씩거리는 거 보면 어딘가 그것들의 주인은 애초 따로 있었나 보다.

그런데 나는 그것들이 당연히 내 것이고 내 맘대로 되는 건 줄 알았다. 누군가 호의와 선심으로 주어진 고마운 선물 같은 건데 감사는 할 줄 모르고 성질을 냈다. 왜 가져가냐고! 왜 더 안 생기냐고! 왜 내 맘대로 안 풀리느냐고 원망하며 성질부렸다.

건강이 나빠지고 재산을 잃고 사람들도 하나둘 곁을 떠나 줄어들면서 뒤늦게 그동안 잘 지낸 걸 알아차렸다. 동시에 그걸 누리면서 감사하지 않았던 것도 알았고 심지어는 따지고 화내며 갑질 비슷하게 반응했던 사실도 미안해졌다.

내 모든 것을 허락한 누군가가 있다면 뒤늦은 나의 이 반응에 어떻게 느끼고 어떻게 처리할까? 호된 몰수 판정을 내릴지, 이제라도 알았으면 남은 거라도 잘 아끼고 고마워하며 살라고 기회를 더 주실까?

아직도 내게는 잃을까 염려되는 것들이 제법 있다. 남들보다 적기는 하지만 당장 쓸 적은 재산도 있고 노심초사 안달하는 자녀 가족도 있고 꺼져가는 모닥불 같은 건강도 있다. 그 근심의 원인이 되는 모든 소유와 허락된 관계들이 뒤집어 말하면 나에게 아직도 주어진 선물이 될 수 있다

걱정거리가 있는 동안은 감사하는 게 맞는 이 이상한 진실이 아직 낯설다. 그렇게 살아 오지 않은 너무 긴 세월의 습관 때문에 더 그렇다. 이제부터라도 남은 세월을 제대로 산다면 어느 날 이런 생각을 할 수 있을까?

'아! 드디어 나는 아무것도 잃을 게 없는 자유로운 상태가 되었다! 아무것도 가진 게 없으니 더 나빠질 이유도 상실할 근심도 없다!' 라고. 한 줌의 원망도 없이 그 상황을 받아들일 수 있을까? 죽음이 두려워지지 않으려면 더 이상 살아 있는 생명이 아니라야만 가능한데 정말 그 순간

을 편하게 받아들일 수 있을까?

그저 기도 99 - 이제 사는 것. by 희망으로

'하고 싶은 말 일백 - 대신··· 하늘나라는 주셔야지요?'

집을 팔아 병원 빚을 갚았다. 직장도 징검다리 출근이 미안해서 더 이상 다닐 수 없어 그만두었다. 그러다 아이들은 지낼 집이 없으니 외가집에 한 명, 아르바이트 하는 숙소로 한 명, 또 한 명은 군대로! 그렇게 뿔뿔이 흩어지고 이산가족이 되었다.

아직은 할 수 있는 일도 많고 하고 싶은 일도 많은 나는 모든 경력과 꿈을 접고 미래도 없이 오직 아내 간병 하나만 감당하는 포로 생활 비슷하게 발목이 잡혔다.

이 정도면 산산조각이 난 믿음의 선배들과 겉으로는 비슷하지 않나? 자발적인 동의 따위는 없었고 선택의 여지도 없었지만.

성경에서 남의 무용담으로 읽고 들을 때는 멋지기도 하고 분명 뒤끝에 가서는 보란 듯 반전이 있을 거라 기대했기에 고난도 전혀 절망적으로 느껴지지는 않았다. 비록 출발은 스스로 하지 않았지만, 기꺼이 동의하고 따른 믿음의 선배들은 모두 하나님의 나라에서 귀한 보상과 영원한 생명을 누리고 있다고 신앙인들은 다들 의심 없이 믿고 있다.

그러면 고생하는 동안 맨 날 졸이고, 울고불고 꼭 장난감 빼앗긴 애들처럼 받아들이며 산 나는 어찌 되나? 아무것도 남지 않고 초라해진 겉모양은 믿음의 선배들과 비슷해도 속 사정과 마음은 하늘과 땅만큼 다른 나는 앞으로 어찌 되나?

나는 억울하다. 믿어지지도 않고 이해도 안 된다. 왜 내가 가진 꼴랑 지푸라기 같은 그것들을 다 압류당해야 하는지, 덩달아 온 가족이 파산한 나라의 피난민처럼 고초를 겪으며 떠돌아야 했는지.

물론 죄라면 없다고는 못한다. 하지만 나만 큰 죄 아니고 도토리 키재기처럼 거기서 거기 아닌가? 오십 보, 백 보 비슷한 죄를 지은 벌 치고는 공정하다고 안 받아진다. 다들 그런 벌 받지는 않으니까.

이미 몇 번의 벼랑 끝도 서보았고 캄캄한 동굴도 지났고 춥고 서러운 날도 많이 보냈다. 그러니 이제 다시 돌이켜 호의호식 같은 생활을 달라고는 않겠다. 다만 기왕 그 고생을 시키고 작은 소유도 몰수하셨으면 작은 보상은 해주어야지. 그러니까 내 바람은 믿음의 선배들이 고난을 지나 들어가신 그 나라에 한자리 끼워달라는 거다. 그 마지막 소원이라도 위로 삼아 가슴에 담고 나머지 길을 마칠 수 있으면 좋겠다. 안 그럼 자꾸만 서러워지는 이번 생의 허무함이 밤마다 발목을 잡고 끌어내려 못 견디겠다. 부디 그 하나라도 주시길 싹싹 빈다. 혹시 자리가 모자란다거나 그만큼의 공적이 안 된다면 나를 빼고 아내와 아이들이라도 허락해 주시라. 그나마 스스로 가장인 나를 달랠 체면이나 위안이 될 테니까.

'책의 끝에 드리는 말'

정리하고 다시 읽어보면서 백일기도의 심정으로 100편을 한 번 더 겪었다. 하나하나, 하루하루를 보내며 순간마다 가졌던 감정과 추억이 다시 나를 일렁거리게 했다.

'그래, 그때 그랬어! 너무 힘들었지…'
'아…그날 그러지 말았어야 하는 건데'

여러 감회와 앞으로는 다르게 살고 싶은 각오들도 따라왔다. 실제로 같은 상황, 같은 일이 벌어진다면 나는 정말 다르게 받아들이고 다르게 살 수 있을까? 아마도 어쩌면 별 차이가 없는 같은 반복을 할지도 모른다. 내가 가진 성품이나 능력이란 기껏 뻔한 범위고 수준이니까.

그래도 잘 남기고 잘 살아왔다는 대견함도 스스로 느꼈다. 누군들 더 잘하고 싶지 않을까? 당사자의 무게란 세상이 만든 잣대와 남들의 평가라는 인색함과 달리 정말 무겁고 괴롭다.

오죽하면 과부의 심정은 과부가 알고 열 길 물속은 알아도 한 길 사람 속은 모를까. 그러니 모든 어려움을 견디며 사는 분들은 모두가 세상에서 가장 힘든 길을 가고 있는 게 맞을 수도 있다. 그만큼 오늘 하루를 살아낸 것은 대단하고 자랑스러울 수도 있다.

기록은 남겨서 나와 다른 분들이 조금은 유익이 될 안내서나 지도가 된다면 좋은 것이다. 마지막 페이지 책장을 덮으며 '조금은 도움되니 고맙네!' 그렇게 이 책을 읽어 주시면 좋겠다.